Madrid

Plaza Mayor

Imprimé en Grande-Bretagne
ISBN 2-03-503514-7

VOTRE GUIDE DE VOYAGE

Pratique et maniable, votre nouveau guide de voyage saura être pour vous un compagnon de tous les instants.

Il est divisé en trois parties destinées à en faciliter la consultation : une première partie à en-tête bleu, une deuxième à en-tête rouge et une troisième à en-tête gris.

La section à en-tête bleu, thématique, se compose d'une suite de rubriques classées par ordre alphabétique : circuits, excursions, musées, restaurants, vie nocturne, etc. Chaque rubrique comporte des renseignements détaillés - itinéraires, prix, heures d'ouverture, moyens d'accès, etc. - et s'accompagne d'une carte montrant clairement l'emplacement des lieux mentionnés dans le texte et les points de repère les plus proches. Si vous cherchez un restaurant pour dîner ou un musée à visiter, si vous voulez faire des achats ou partir en excursion, si vous avez envie de sortir le soir, consultez-la.

Les deux autres sections se présentent sous la forme de dictionnaires. La section à en-tête rouge contient des informations culturelles - faits historiques, personnages célèbres, hauts lieux géographiques - utiles pour répondre à votre curiosité et vous plonger dans l'atmosphère particulière d'une ville. La section à en-tête gris réunit des renseignements pratiques destinés à faciliter votre séjour : types de logement, gastronomie locale, journaux, moyens de paiement ou de déplacement, coutumes régionales, etc.

Un système de renvois permet de cheminer entre les diverses sections. Les mots en petites capitales - ex. « voir RESTAURANTS » - signalent un titre de rubrique dans la section à en-tête bleu. Vous trouverez donc un complément d'information en vous y reportant. Les mots en caractères gras - ex. « voir **Restaurants** » - vous invitent à rechercher ce mot dans la section à en-tête gris. L'astérisque après un nom* renvoie aux informations culturelles de la section à en-tête rouge.

Armé de votre guide, indispensable vade-mecum rempli d'informations et facile à consulter, voyagez tranquille.

Puerta del Sol

Photos : ***Jan Kruse***
Couverture : ***Travel Photo International***

Vieux Quartier

GIGGI
GIGGI

Plaza de la Ville de Paris

Lorsqu'en 1561 Philippe II, le monarque le plus puissant de son temps, transfère à Madrid le siège de son gouvernement, la ville n'est encore qu'une petite bourgade poussiéreuse au centre de l'Espagne, au bord du maigre Manzanares sur le haut plateau de Castille. Aujourd'hui, avec ses cinq millions d'habitants, Madrid est en pleine expansion. Depuis l'époque de Philippe II, la ville n'a plus cessé d'être le centre et le cœur de l'Espagne, et, même si les dix-sept régions du pays jouissent aujourd'hui d'une certaine autonomie, c'est Madrid qui consacre les stars de la politique, des affaires et des arts.

Cette Espagne, économiquement en plein essor, intéresse de plus en plus les milieux d'affaires étrangers et a retrouvé toute sa place sur la scène internationale. Certains visiteurs sont attirés par le Madrid des riches collections d'art, son Prado rénové et ses nombreux musées. D'autres sont sensibles à son effervescence créatrice, à cette frénésie dans la vie quotidienne inaugurée par la renaissance de la démocratie après la mort de Franco en 1975.

La Movida est le nom donné au renouveau culturel espagnol mené par Madrid. Des gens de talent, dont beaucoup de jeunes, ont utilisé leur liberté toute nouvelle pour inventer de nouveaux modes de vie et une nouvelle culture ; de leur côté, l'Etat et les collectivités régionales se sont mis à soutenir les arts. La capitale, étouffée par une triste dictature, a retrouvé toute sa vitalité et s'est muée en une brillante vedette de l'avant-garde.

La culture contemporaine est partout présente : dans les nombreuses salles d'exposition, les musées ou dans les centres culturels dynamiques comme le Centro Cultural de la Villa ou le Centro de Arte Reina Sofía. Une trentaine de théâtres donnent des pièces classiques et modernes, et le théâtre d'avant-garde prend de l'importance. Les plus grands artistes et musiciens internationaux participent à la saison d'opéra, aux spectacles de ballet et aux concerts de musique classique, ce qui ne veut pas dire que Madrid même manque de talents. Le pop, le rock et le jazz sont également des musiques très vivantes, qui sont l'occasion de grands concerts en plein air. Enfin, Madrid est redevenue la capitale culturelle du monde hispanophone et sera, en 1992, la ville européenne de la culture.

Les nouveaux Madrilènes aiment les contacts sociaux, l'élégance de la

Casa de Campo

mode et la culture. La jeunesse et la beauté sont des atouts sociaux ; le talent ou la richesse peuvent aider. Sous le charme de l'animation tourbillonnante de leur ville, on se retrouve dans les lieux à la mode : bars branchés, cafés et terrasses en été, boutiques, vernissages, clubs où l'on danse les gracieuses *sévillanes*. On dort peu à Madrid !
On mange tard aussi : on déjeune après deux heures de l'après-midi et l'on dîne vers dix heures du soir. Mais, dans les traditionnelles *tascas*, on vous servira d'appétissantes *tapas* qui sauront tromper votre faim. Il y a aussi les cafés, les cafétérias et les inévitables fast-foods. On mange aussi bien à Madrid et pour moins cher que dans les autres capitales européennes ; et vous pourrez y goûter la variété des cuisines régionales espagnoles. Pour les Madrilènes, il faut que le poisson soit frais, et les restaurateurs n'ont garde de les décevoir.
Mais ce sont les magasins qui feront courir le plus de risques à votre budget. Madrid, en effet, comme Barcelone, est devenue l'un des hauts lieux de la mode et de la création. Ses boutiques et ses magasins de vêtements vous présenteront les toutes dernières créations des jeunes couturiers espagnols. D'autres magasins proposent, comme autrefois, leurs articles faits main, et l'on trouve encore, dans beaucoup d'*artesanias*, de magnifiques exemples de l'artisanat traditionnel espagnol. Les antiquités peuvent constituer des achats intéressants et, même si vous ne recherchez rien de spécial, faites un tour au marché aux puces d'El Rastro pour en apprécier l'ambiance.
Le Madrid touristique est remarquablement dense, mais les autobus et le métro sont très pratiques, les taxis très nombreux et bon marché. La vieille cité, le Madrid de la « maison d'Autriche », se développe d'une manière concentrique à partir de la Plaza Mayor : au sud dans un dédale de rues étroites, à l'est vers la très pittoresque Plaza de Santa Ana, vers l'ouest jusqu'au gigantesque et magnifique Palacio Real. Le Madrid des « Bourbons » comprend le musée du Prado et le Retiro, immense parc très accueillant, aux multiples attraits. Les larges *paseos* bordés d'arbres - le Paseo del Prado, le Paseo de Recoletos et le Paseo de la Castellana - coupent la ville en deux selon un axe nord-sud. Les quartiers de Justicia et de Cueca, à l'ouest du Paseo de Recoletos, sont le lieu de rendez-vous des branchés et des noctambules. A l'est s'étend Salamanca, beau quartier résidentiel et commerçant du XIXe siècle. Le

Madrid moderne, tout en verre, en acier et en béton, constitué de bureaux, d'immeubles d'habitation et d'hôtels, s'étend le long de la partie nord du Paseo de la Castellana.

Les Madrilènes mettent de la vie partout : dans les grandioses avenues, sur les ravissantes plazas, dans les étroites *calles* et dans les parcs ombragés. Que l'on vienne le soir ou tard dans la nuit, on les voit toujours aussi affairés : ils déambulent sur leurs *paseos*, regardent et se font voir. Le spectacle de la rue est rehaussé par la présence des camelots, des musiciens, des clowns et des peintres. Ce n'est que lors des quelques mois d'hiver, quand le vent glacial descend des montagnes voisines couvertes de neige, que le temps finit par engourdir la vitalité des rues madrilènes. En août, néanmoins, beaucoup d'habitants vont chercher la fraîcheur des montagnes ou des *costas* pour échapper à la chaleur accablante.

La visite du musée du Prado est un passage obligé. Sa richesse en tableaux de Goya, de Velázquez, du Greco et autres très grands maîtres témoigne de l'éminente contribution de l'Espagne au monde des arts, mais on ne saurait oublier les nombreux chefs-d'œuvre flamands et italiens accumulés par les rois d'Espagne, Habsbourg ou Bourbons. Quoique moins renommé, le Museo Nacional de Arqueológico contient aussi de nombreux trésors du riche passé de l'Espagne. Nombre d'autres musées et galeries méritent d'être visités.

La Casa de Campo est un grand espace vert en bordure sud-ouest de Madrid, bien équipé pour les sports, les spectacles, les expositions ou simplement la détente. Enfin, à moins d'une heure de Madrid, les villages de la sierra de Guadarrama, au milieu des bois, permettent aux Madrilènes de s'adonner à leurs sports favoris, d'été ou d'hiver. A Madrid, comme dans toute l'Espagne, le football est le sport le plus populaire.

Malgré le charme indéniable de beaucoup de ses édifices, Madrid est une ville qui frappe surtout par son caractère monumental. Vous trouverez facilement dans les environs, à l'occasion d'excursions d'une journée, le calme de la campagne. Dans la rubrique **EXCURSIONS**, nous vous présenterons Ségovie et La Granja, l'Escurial et la vallée de los Caidos, ainsi que l'extraordinaire ville-musée de Tolède ; pourquoi ne pas essayer quelques-unes de ces destinations ?

METROPOLIS

MUSEO DEL PRADO
Une des plus importantes collections d'œuvres d'art au monde (peintures, sculptures, bijoux). Incontournable. Voir **MUSÉE DU PRADO.**

PLAZA MAYOR
Grande place élégante au centre de la ville. Au sud, s'étend le dédale des vieilles rues. Voir **PLACES, CIRCUIT 1.**

PLAZA SANTA ANA
Jolie petite place, et nombreux bons restaurants dans les rues avoisinantes. Voir **RESTAURANTS.**

PASEO DE RECOLETOS
Flânez le long de cette avenue animée et cédez au plaisir d'observer la foule : c'est amusant et gratuit !

JUSTICIA/CHUECA
Le quartier branché de Madrid, qui donne le ton à la ville. Voir **VIE NOCTURNE, SHOPPING.**

SALAMANCA
Petit quartier résidentiel où vous trouverez de nombreux magasins et restaurants de qualité. Voir **SHOPPING.**

PARQUE DEL RETIRO
Idéal pour se reposer dans la verdure. Également théâtre de plein air et autres divertissements. Voir **PARCS.**

TOLEDO* (TOLÈDE)
Passez au moins une journée dans cette riche cité historique. Voir **EXCURSION 1.**

PALACIO* REAL
A l'emplacement de l'ancienne forteresse de l'Alcazar, cet ancien palais du XVIIIe siècle abrite des collections d'art, de meubles, de tapisseries, etc.

PLAZA DE CIBELES*
Autour d'une fontaine, symbole de l'Espagne et sculptée par des artistes de différents pays, la place est cernée d'édifices monumentaux.

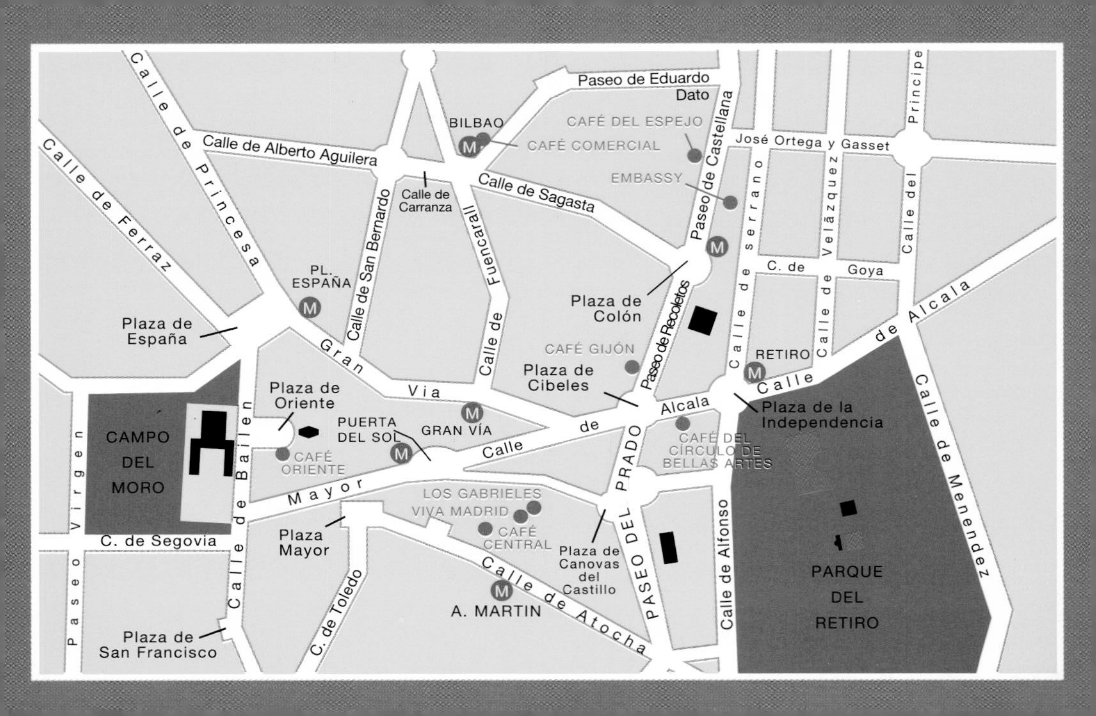
Paseo de Eduardo Dato
BILBAO
CAFÉ DEL ESPEJO
CAFÉ COMERCIAL
EMBASSY
Calle de Princesa
Calle de Ferraz
Calle de Alberto Aguilera
Calle de Carranza
Calle de Sagasta
Paseo de Castellana
José Ortega y Gasset
Principe
Calle del
Calle de serrano
Calle de Velãzquez
C. de Goya
Calle de San Bernardo
Calle de Fuencarall
PL. ESPAÑA
Plaza de España
Plaza de Colón
Paseo de Recoletos
CAFÉ GIJÓN
Plaza de Cibeles
RETIRO
Calle de Alcala
Plaza de la Independencia
Calle de Menendez
Gran Via
Plaza de Oriente
PUERTA DEL SOL
GRAN VÍA
Calle de Alcala
CAFÉ ORIENTE
CAMPO DEL MORO
Calle de Bailen
Virgen
Paseo
Calle Mayor
PASEO DEL PRADO
CAFÉ DEL CÍRCULO DE BELLAS ARTES
LOS GABRIELES
VIVA MADRID
CAFÉ CENTRAL
Plaza Mayor
C. de Segovia
Plaza de Canovas del Castillo
Calle de Alfonso
PARQUE DEL RETIRO
C. de Toledo
Calle de Atocha
A. MARTIN
Plaza de San Francisco

VIVA MADRID Manuel Fernández González 7.
M° : Sol, Sevilla.
Café authentique et pittoresque, surtout fréquenté après 18h. Clientèle variée.

CAFÉ CENTRAL Plaza del Angel 10.
M° : Sol.
Café ancien style, immuable. Beaucoup d'ambiance nuit et jour. Groupes de jazz.

CAFÉ DEL CÍRCULO DE BELLAS ARTES Alcalá 42.
M° : Banco.
Ce café attire les intellectuels et jeunes « branchés ». Il présente régulièrement des expositions d'art.

CAFÉ ORIENTE Plaza de Oriente.
M° : Opera.
Café ouvert depuis peu, élégant et cher. Terrasse avec vue sur la place.

CAFÉ COMERCIAL Glorieta de Bilbao.
M° : Bilbao.
Café original. Un mélange de vieux habitués et d'une clientèle plus jeune.

CAFÉ GIJÓN Paseo de Recoletos 19.
M° : Colón.
Fréquenté traditionnellement par les gens de lettres ; aujourd'hui, une foule plus mélangée s'y retrouve.

LOS GABRIELES Echegaray 17.
M° : Sevilla.
Café traditionnel avec de la musique flamenco. Le cadre et la clientèle créent l'ambiance.

CAFÉ DEL ESPEJO Passeo de Recoletos 31.
M° : Colón.
Café récent avec un décor design et une terrasse en plein air.

EMBASSY (Salón de Té) Paseo de la Castellana 12.
M° : Colón.
Elégant salon de thé. Gâteaux et autres pâtisseries irrésistibles.

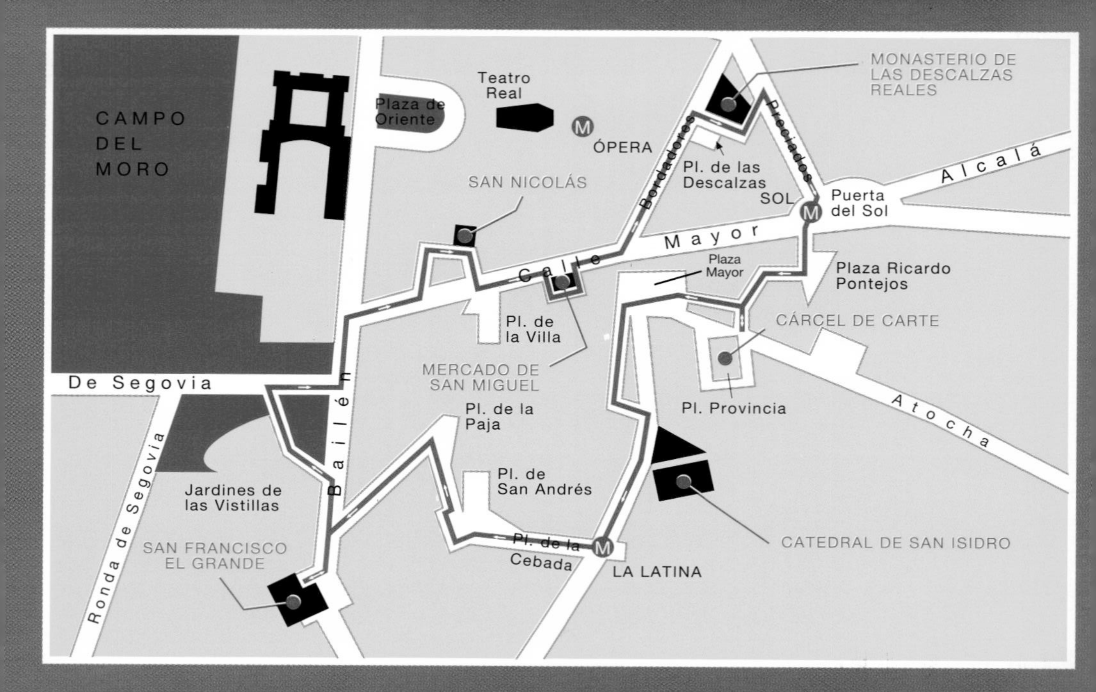
CAMPO DEL MORO
Plaza de Oriente
Teatro Real
ÓPERA
SAN NICOLÁS
MONASTERIO DE LAS DESCALZAS REALES
Pl. de las Descalzas
Bordadores
Preciados
SOL
Puerta del Sol
Alcalá
Calle Mayor
Plaza Mayor
Plaza Ricardo Pontejos
CÁRCEL DE CARTE
Pl. Provincia
Atocha
Pl. de la Villa
MERCADO DE SAN MIGUEL
De Segovia
Bailén
Pl. de la Paja
Pl. de San Andrés
Pl. de la Cebada
LA LATINA
CATEDRAL DE SAN ISIDRO
Jardines de las Vistillas
SAN FRANCISCO EL GRANDE
Ronda de Segovia

Calle Mayor

2heures 30. M° : Sol.
Prenez la rue Correo jusqu'à la Plaza Pontejos, bordée de magasins de broderies. Prenez la première à droite, où vous verrez encore de la broderie et de la couture, puis à gauche dans la rue Esparteros, connue pour ses boutiques de ferronnerie. En face, sur la Plaza Provincia, le Carcel do Corte, où l'on enfermait autrefois les délinquants de bonne famille, aujourd'hui ministère des Affaires étrangères. Retournez sur vos pas et prenez à gauche dans la rue Zaragoza, où l'on trouve de nombreux bijoutiers. Passez sous l'arche pour atteindre la Plaza Mayor. Voir **A NE PAS MANQUER**.
Sortez par l'angle sud-ouest pour prendre la rue Cuchilleros, bordée de *tascas** et de *mesones**. A gauche sur la Plaza de Puerta Cerrada, dirigez-vous vers l'église baroque de San Isidro (voir **ÉDIFICES RELIGIEUX**), et continuez votre chemin jusqu'à la Plaza de la Cebada. Peut-être souhaiterez-vous faire un détour à gauche pour aller explorer la Plaza de Cascorro, la Ribera de Curtidores, le labyrinthe des rues de La Latina et ses nombreuses boutiques. Sinon, prenez à droite vers la Plaza de San Andrés, qui forme un ensemble harmonieux avec la Plaza de la Paja. De là, engagez-vous à gauche dans la minuscule rue Redondilla, encore à gauche vers le dôme de San Francisco El Grande. Visitez la basilique. En sortant, tournez à gauche dans la rue de Bailen sur une courte distance et faites le détour à gauche par les Jardines de las Vistillas. Vous retomberez dans la rue de Segovia, que vous prendrez à droite, puis reprenez à gauche la rue de Bailén. Sur la gauche, la cathédrale inachevée Almudena (voir **ÉDIFICES RELIGIEUX**). Engagez-vous dans la rue Mayor à droite et prenez la troisième à gauche pour voir la plus ancienne église de Madrid, San Nicolas, et sa tour mudéjar*. De retour dans la rue Mayor, traversez pour gagner la Plaza de la Villa. En quittant la place, prenez à droite pour rejoindre le Mercado de San Miguel (voir **MARCHÉS**), puis bifurquez à gauche dans la rue Bordadores, passez l'église San Ginés et traversez la rue del Arenal, ce qui vous amène Plaza de las Descalzas Reales. Visitez le couvent. Sortez à gauche dans la rue Misericordia, prenez encore à gauche dans la rue del Maestro Victoria ; vous êtes alors dans la zone piétonne de la rue Preciados et de la rue del Carmen. Terminez votre circuit à la station de métro Sol.

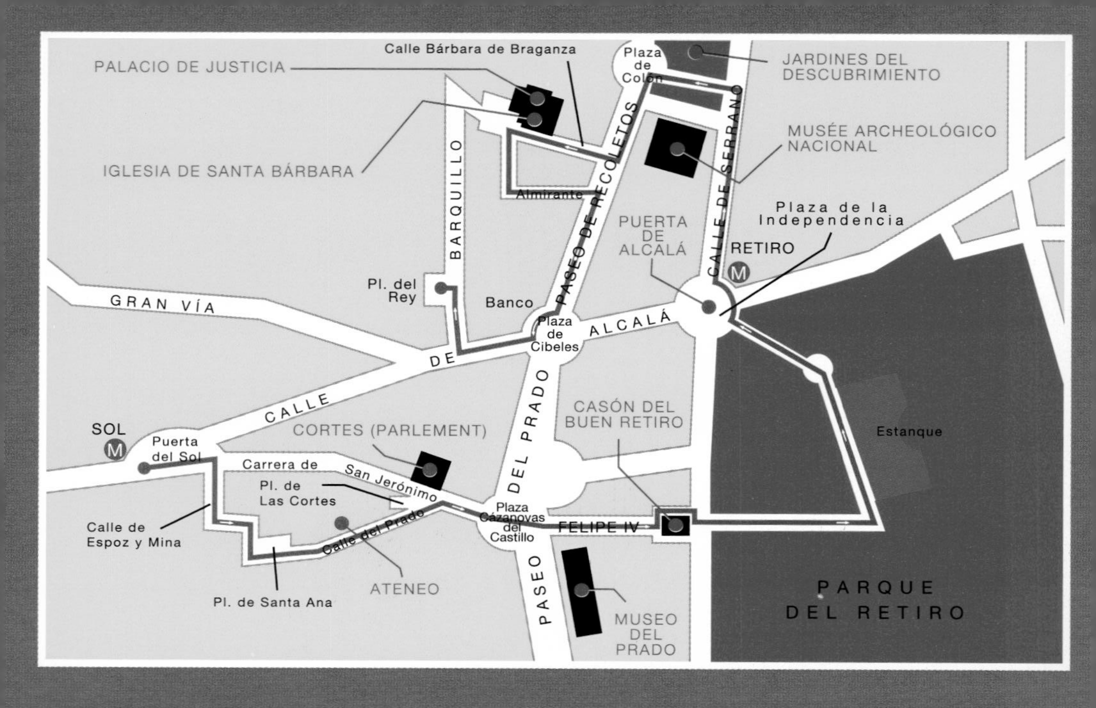
Calle Bárbara de Braganza
PALACIO DE JUSTICIA
Plaza de Colón
JARDINES DEL DESCUBRIMIENTO
IGLESIA DE SANTA BÁRBARA
MUSÉE ARCHEOLÓGICO NACIONAL
BARQUILLO
Almirante
PASEO DE RECOLETOS
CALLE DE SERRANO
PUERTA DE ALCALÁ
Plaza de la Independencia
RETIRO
Pl. del Rey
GRAN VÍA
Banco
Plaza de Cibeles
ALCALÁ
DE
CALLE
CASÓN DEL BUEN RETIRO
Estanque
SOL
Puerta del Sol
CORTES (PARLEMENT)
DEL PRADO
Carrera de
San Jerónimo
Pl. de Las Cortes
Calle de Espoz y Mina
Plaza Cázanovas del Castillo
FELIPE IV
Calle del Prado
ATENEO
Pl. de Santa Ana
PASEO
PARQUE DEL RETIRO
MUSEO DEL PRADO

Retiro, Recoletos

2heures 20. M° : Sol, Banco.

A l'extrémité est de Puerta del Sol, tournez à droite dans la calle Espoza Mina, puis à gauche dans la minuscule calle Alvarez Gato, ce qui vous amène sur la charmante Plaza de Santa Ana. Repartez à gauche dans la calle del Prado, bordée de magasins d'antiquités, et passez devant l'Ateneo, foyer de la pensée libérale madrilène. Continuez vers la Plaza de las Cortes, où se réunit le Parlement espagnol (bâtiment à gauche). Prenez à droite Carrera San Jeronimo jusqu'à la Plaza Cánovas del Castillo (sur le Paseo del Prado). Traversez pour vous engager dans la rue Felipe IV. A gauche, le Ritz, à droite le musée du Prado et, au bout de la rue, le Casón del Buen Retiro (voir **MUSÉE DU PRADO**). Entrez dans le Parque del Retiro (voir **PARCS**) en traversant les jardins à la française. Ressortez du parc par l'angle nord-ouest pour découvrir la monumentale Puerta de Alcala. Traversez pour prendre la rue Serrano, la plus grande artère commerçante de la ville. A gauche, le Musée archéologique (voir **MUSÉES 2**), puis les Jardines del Descubrimiento, où s'élèvent les monuments à la Découverte et à la Constitution. Traversez les jardins pour rejoindre la Plaza de Colón. Consultez au passage le programme du centre culturel dans le bas de la place.

Prenez à gauche le terre-plein central, planté d'arbres, du Paseo de Recoletos. Si vous voulez voir de près le quartier le plus branché de Madrid, prenez à droite la rue Barbara de Braganza. A côté du palais de Justice se trouve l'ancienne église conventuelle Santa Bárbara (vers 1750) ; prenez à gauche Conde de Xiquena et encore à gauche la rue Almirante. Vous trouverez dans tout ce quartier un grand nombre de bars, magasins et restaurants. Reprenez à droite Paseo de Recoletos. Si les terrasses sont ouvertes, vous vous laisserez facilement persuader de faire une petite pause.

Arrivé Plaza de Cibeles*, tournez à droite dans la rue de Alcala, puis à droite dans la rue del Barquillo pour atteindre la petite Plaza del Rey, où s'élève la Casa de las Siète Chimeneas (« sept cheminées »), petit palais des années 1550 aujourd'hui restauré. Regagnez la calle Alcala pour rejoindre la station de métro Banco. Vous pouvez aussi remonter la rue Barquillo pour aller flâner dans le quartier de Justicia/Chueca.

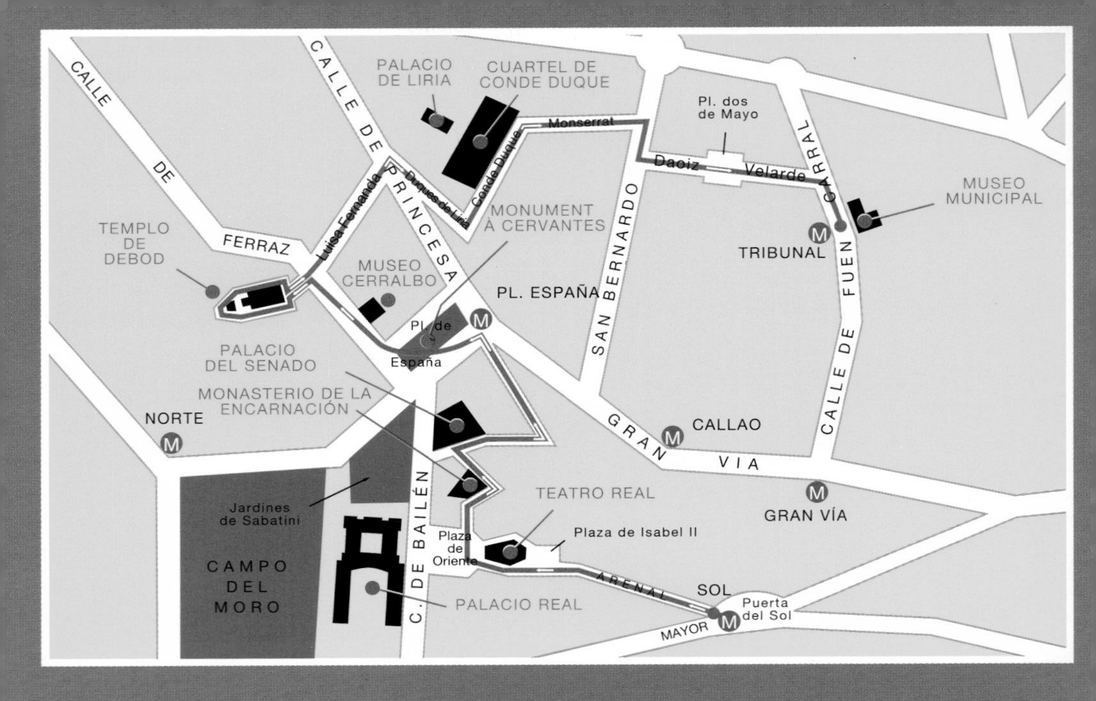
CALLE DE FERRAZ
CALLE DE PRINCESA
PALACIO DE LIRIA
CUARTEL DE CONDE DUQUE
Monserrat
Pl. dos de Mayo
Daoiz
Velarde
CARRAL
MUSEO MUNICIPAL
Conde Duque
Duques de Liria
Luisa Fernanda
MONUMENT À CERVANTES
TEMPLO DE DEBOD
MUSEO CERRALBO
PL. ESPAÑA
SAN BERNARDO
TRIBUNAL
CALLE DE FUEN
Pl. de España
PALACIO DEL SENADO
MONASTERIO DE LA ENCARNACIÓN
NORTE
GRAN VIA
CALLAO
Jardines de Sabatini
TEATRO REAL
GRAN VÍA
Plaza de Isabel II
Plaza de Oriente
CAMPO DEL MORO
C. DE BAILÉN
ARENAL
SOL
PALACIO REAL
Puerta del Sol
MAYOR

De Sol à Tribunal

1heure 40. M° Sol, Tribunal.
Quittez la Puerta del Sol vers l'ouest en prenant la rue Arenal (qui abrite quelques magasins intéressants) jusqu'à la Plaza de Isabel II. Contournez le Teatro Real (voir **SPECTACLES**) jusqu'à la Plaza de Oriente. De l'autre côté de la rue Bailen se dresse la façade est monumentale de l'énorme Palacio Real* (voir **A NE PAS MANQUER**).
Sortez de la Plaza de Oriente vers le nord et vous arriverez Plaza de la Encarnacion, où se dresse le monastère du même nom. Prenez à gauche la rue Encarnacion et à droite la Plaza Marina Espanola, où vous verrez sur votre gauche le Sénat espagnol. Continuez dans la rue Torija, puis à gauche dans la rue Leganitos - toutes deux bordées de magasins sympathiques - et vous arriverez Plaza de España (voir **PLACES**).
Après avoir contemplé le monument à Cervantes, quittez la place par le nord-ouest pour prendre la rue Ferraz. A l'angle de rue suivant, vous verrez le Museo Cerralbo (voir **MUSÉES 3**). Traversez au premier passage piétons pour prendre le côté gauche de la rue et dirigez-vous vers le Templo de Debod*. Après avoir regardé cet ancien temple égyptien et profité de la vue depuis ce site élevé, traversez de nouveau la rue Ferraz et engagez-vous dans la rue Luisa Fernanda. Vous trouverez dans le quartier quelques beaux magasins de mode. Traversez la rue Princesa, une des principales rues commerçantes de la ville, tournez à droite en admirant au passage le palais de Liria, l'une des demeures des ducs d'Albe, et suivez la rue Duques de Liria ; tournez à gauche dans la rue Conde Duque pour arriver à l'entrée des anciennes casernes, aujourd'hui centre culturel animé. Voir **Manifestations culturelles.**
En prenant à droite la rue de Montserrat, vous découvrirez la façade impressionnante avec son étrange tour de ce qui fut un couvent et est aujourd'hui une prison. Engagez-vous à droite dans la rue San Bernardo, puis à gauche dans la rue Daoiz pour arriver Plaza Dos de Mayo, cœur du quartier de Malasana où les troupes de Napoléon tirèrent sur les Madrilènes, lors de la révolte de Madrid, le 2 mai 1808. Voir Dos* de Mayo. Les bars et petits restaurants bon marché ne manquent pas, ni les terrasses à la saison chaude. Quartier surtout agréable à l'heure du déjeuner ou en début de soirée.

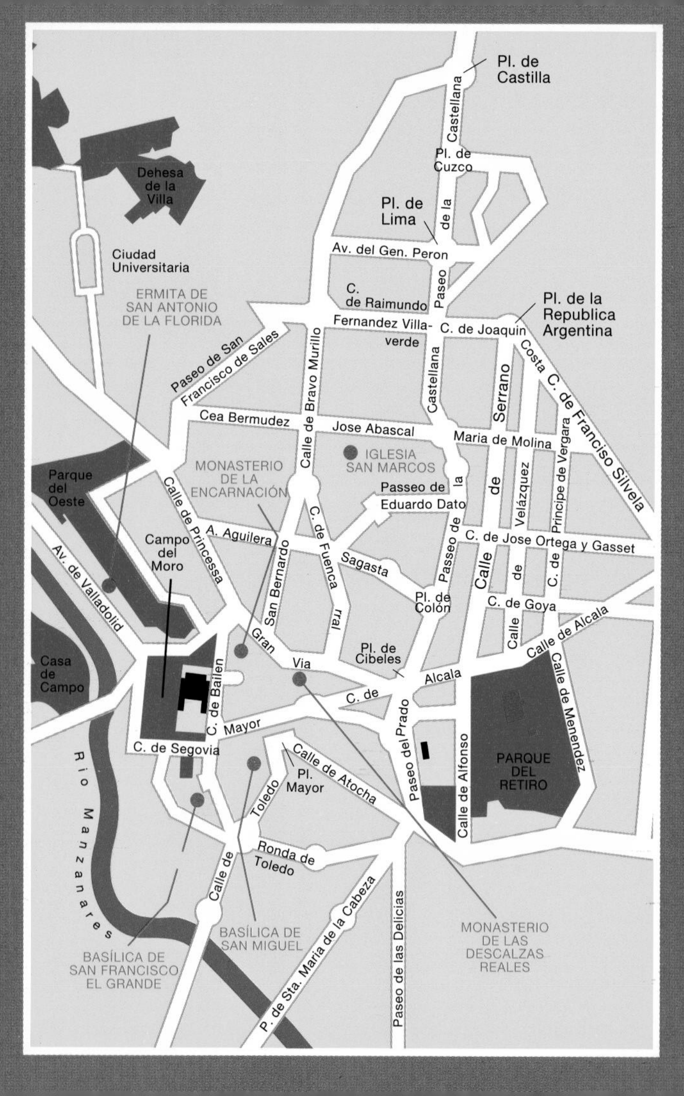
Pl. de Castilla
Castellana
Pl. de Cuzco
Pl. de Lima
Paseo de la
Dehesa de la Villa
Ciudad Universitaria
Av. del Gen. Peron
C. de Raimundo
Fernandez Villa-verde
ERMITA DE SAN ANTONIO DE LA FLORIDA
Paseo de San Francisco de Sales
C. de Joaquin Costa
Pl. de la Republica Argentina
Calle de Bravo Murillo
Castellana
Calle de Serrano
C. de Francisco Silvela
Cea Bermudez
Jose Abascal
Maria de Molina
IGLESIA SAN MARCOS
MONASTERIO DE LA ENCARNACIÓN
Parque del Oeste
Calle de Princessa
Passeo de Eduardo Dato
Paseo de la
Velázquez
Principe de Vergara
C. de Fuencarral
A. Aguilera
C. de Jose Ortega y Gasset
Av. de Valladolid
Campo del Moro
Sagasta
San Bernardo
Pl. de Colón
C. de Goya
Gran Via
Pl. de Cibeles
Calle de Alcala
Casa de Campo
C. de Bailen
C. de Alcala
Calle de Menendez
C. Mayor
C. de Segovia
Paseo del Prado
Calle de Alfonso
PARQUE DEL RETIRO
Rio Manzanares
Calle de Atocha
Pl. Mayor
Toledo
Ronda de Toledo
Calle de
P. de Sta. Maria de la Cabeza
Paseo de las Delicias
BASÍLICA DE SAN MIGUEL
BASÍLICA DE SAN FRANCISCO EL GRANDE
MONASTERIO DE LAS DESCALZAS REALES

MONASTERIO DE LAS DESCALZAS REALES
Plaza de las Descalzas Reales 3.
● Mar.-dim. : 10h30-12h30 (et mar., jeu., sam., dim. : 16h-17h15). Fermé les jours fériés. M° : Sol, Callao.
Une partie de cet édifice, construit au XVIe siècle et décoré avec faste, conserve sa fonction de couvent. Collection d'objets religieux, de peintures et surtout exceptionnelle collection de tapisseries flamandes.

MONASTERIO DE LA ENCARNACIÓN
Plaza de la Encarnación 10.
● Mar.-dim. : 10h-13h et mar., mer., jeu., sam., dim. : 16h-17h30. Compris dans le billet pour Descalzas Reales. M° : Opera, Santo Domingo.
Décor banal du XVIIe siècle pour les pièces de ce vaste édifice qui, lui, vaut le coup d'œil.

ERMITA DE SAN ANTONIO DE LA FLORIDA
Glorieta de San Antonio de la Florida.
● Mar., ven. : 10h-15h et 16h-20h, sam., dim. : 10h-14h. M° : Norte.
Ermitage de la fin du XVIIIe siècle mieux connu sous le nom de panthéon Goya. Les fresques de son plafond ont été peintes par Goya. Elles représentent des courtisans folâtrant avec des dames de respectabilité douteuse.*

BASILICA DE SAN FRANCISCO EL GRANDE
Plaza de San Francisco el Grande.
● Mar.-sam. : 11h-13h et 16h-19h. Fermé les jours fériés.
M° : Toledo, La Latina.
Date de la fin du XVIIIe siècle. Façade néoclassique et énorme coupole. Six chapelles décorées par des artistes de l'époque, dont Goya.*

BASÍLICA DE SAN MIGUEL Calle de San Justo 4. M° : Sol.
Belle église du XVIIIe siècle, de style baroque italien.

IGLESIA SAN MARCOS Calle San Leonardo. M° : Alonso Martínez.
Ventura Rodríguez a conçu au XVIIIe siècle la magnifique architecture de cette église.

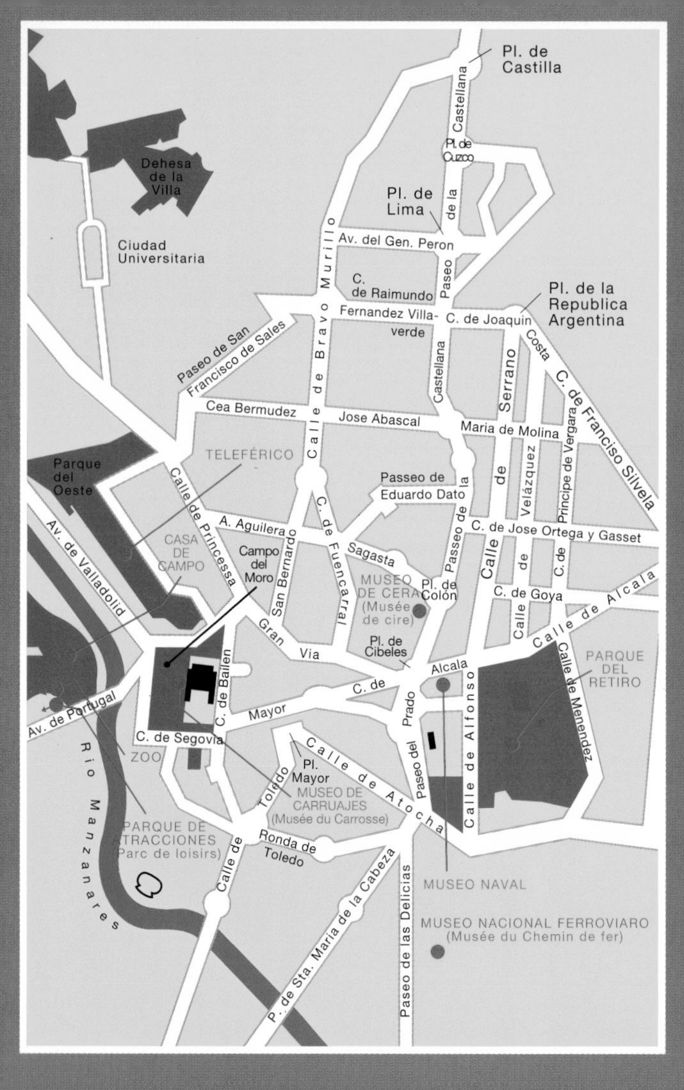

Pl. de Castilla
Castellana
Pl. de Cuzco
Dehesa de la Villa
Pl. de Lima
de la
Paseo
Murillo
Av. del Gen. Peron
Ciudad Universitaria
C. de Raimundo
Fernandez Villa-verde
C. de Joaquin
Pl. de la Republica Argentina
Costa
Paseo de San Francisco de Sales
Calle de Bravo
Castellana
Serrano
C. de Francisco Silvela
Cea Bermudez
Jose Abascal
Maria de Molina
TELEFÉRICO
Parque del Oeste
Velázquez
Principe de Vergara
Passeo de Eduardo Dato
Calle de Princessa
C. de Fuencarral
Paseo de la
Calle de
A. Aguilera
C. de Jose Ortega y Gasset
Av. de Valladolid
CASA DE CAMPO
Campo del Moro
San Bernardo
Sagasta
MUSEO DE CERA (Musée de cire)
Pl. de Colón
C. de
C. de Goya
Calle de Alcala
Gran Via
Pl. de Cibeles
PARQUE DEL RETIRO
C. de Bailen
Alcala
C. de
Calle de Alfonso
Calle de Menendez
Av. de Portugal
Mayor
Prado
C. de Segovia
Calle de Atocha
Paseo del
Rio Manzanares
ZOO
Toledo
Pl. Mayor
MUSEO DE CARRUAJES (Musée du Carrosse)
PARQUE DE ATRACCIONES (Parc de loisirs)
Ronda de Toledo
Calle de
P. de Sta. Maria de la Cabeza
Paseo de las Delicias
MUSEO NAVAL
MUSEO NACIONAL FERROVIARO (Musée du Chemin de fer)

PARQUE DEL RETIRO M° : Retiro.
Parc offrant des étendues d'herbe ombragées où s'ébattre, un petit lac où faire du bateau, des promenades à cheval ou en carrioles, des spectacles de marionnettes, des artistes de rue et des stands où se désaltérer. Voir PARCS.

CASA DE CAMPO M° : Lago, Batán. Ou par le Teleférico (M° : Argüelles ; petite montée en funiculaire).
Excursion d'une journée dans le parc naturel de Casa de Campo qui possède un zoo avec des attractions, un lac sur lequel on peut canoter, et un espace de loisirs (voir PARCS*). De nombreux Madrilènes organisent des pique-niques au milieu des arbres.*
Le zoo possède environ 2 000 animaux et oiseaux regroupés par continent dans le vaste enclos. Un petit train tiré par un tracteur permet d'en faire le tour.

MUSÉE DU CHEMIN DE FER Paseo de las Delicias.
● Mar.-sam. : 10h30-13h30 et 16h30-19h30 ; dim : 10h30-14h.
M° : Delicias.
Locomotives à vapeur reluisantes dans la vieille station de métro Delicias. Voir **EXCURSIONS.**

MUSÉE DE CIRE Museo de Cera Colón, Paseo de Recoletos 41.
● T.l.j. : 10h30-12h45 et 16h-20h30. M° : Colón.
Joli musée de cire évoquant l'Espagne actuelle et passée, mais aussi des personnages d'autres pays.

MUSÉE DU CARROSSE Museo de Carruajes, Palacio Real.
● Lun.-sam. : 10h-12h45 et 16h-17h45 ; dim. et jours fériés : 10h-13h.
M° : Opera.
Collection de beaux équipages utilisés par les rois espagnols.
Voir VISITES DE LA VILLE : Tour-opérateurs et agences.

MUSEO NAVAL Montalbán 2.
● Mar.-dim. : 10h30-13h (fermé en août).
M° : Banco.
Maquettes de bateaux (dont la Santa Maria *de Christophe Colomb). La* Mapa Mundi *(1500) est la première carte espagnole à représenter une partie de la côte américaine.*

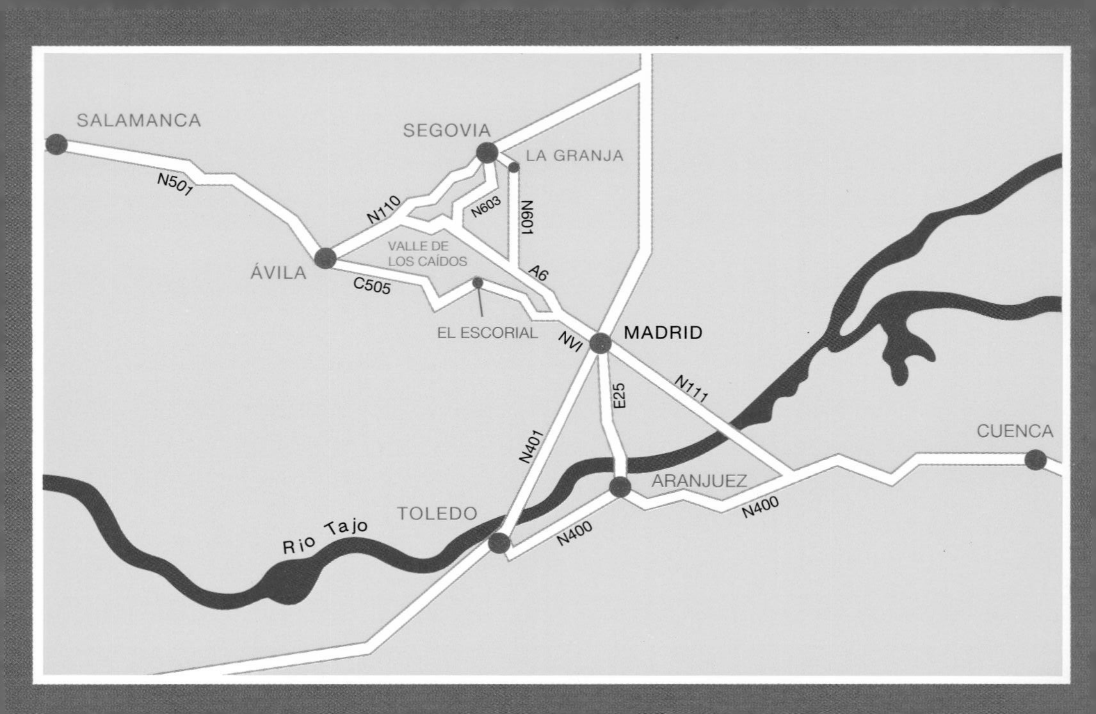
SALAMANCA
SEGOVIA
LA GRANJA
N501
N110
N603
N601
VALLE DE
LOS CAÍDOS
ÁVILA
A6
C505
EL ESCORIAL
MADRID
NVI
N111
E25
N401
CUENCA
ARANJUEZ
TOLEDO
N400
N400
Rio Tajo

Voir **VISITES DE LA VILLE** : Tour-opérateurs et agences.

TOLEDO

● Toute la journée. Départ t.l.j. à 9h30.
Une excursion à ne pas manquer avec la cathédrale, la chapelle Santo Tomé, etc. Vous assisterez aussi à une démonstration de damasquinage.*

ÁVILA*, SEGOVIA, LA GRANJA

● Toute la journée. Départ t.l.j. à 8h30.
A Ávila, visitez les remparts, la cathédrale et le couvent Sainte-Thérèse ; à Ségovie, l'aqueduc, la cathédrale et l'alcázar ; à La Granja, le Grand Palais et les jardins. Déjeuner à Ségovie. Voir **EXCURSION 2.**

ESCORIAL*, VALLE DE LOS CAIDOS

● Une demi-journée. Départs t.l.j. (sauf lun.) à 8h30 et 15h/15h30.
Visitez l'imposant palais de Philipe II, le monastère et le panthéon royal, ainsi que le monument de Franco. Voir **EXCURSION 3.**

ARANJUEZ*

● Une demi-journée. Départ : 15h/15h30.
Visitez cette jolie ville, son Grand Palais et ses jardins.

SALAMANCA

● Toute la journée. Compagnie Trapsatur seulement. Mar. et sam. (mai-sept.) : départ à 7h30.
Visitez la cathédrale, l'université, l'église, le couvent et la plus belle place d'Espagne, la Plaza Mayor. Comprend le déjeuner.

CUENCA

● Toute la journée. Compagnie Pullmantur seulement. Jeu. (avr.-oct.). (également mar., juin-oct.) : départ à 8h.
Excursion dans le paysage rocheux connu sous le nom de « ville enchantée ». A Cuenca, visitez les musées, la cathédrale et la place.

TRAIN DE LA FRAISE

● Toute la journée. M° : Delicias. Réservations à la RENFE (la « SNCF » espagnole) et dans les agences de voyage. Tren de la Fresa. Sam., dim. et jours fériés (mai-oct.) : départ à 10h. *Train à vapeur pour Aranjuez*. Des jeunes filles en costume local servent des fraises.*

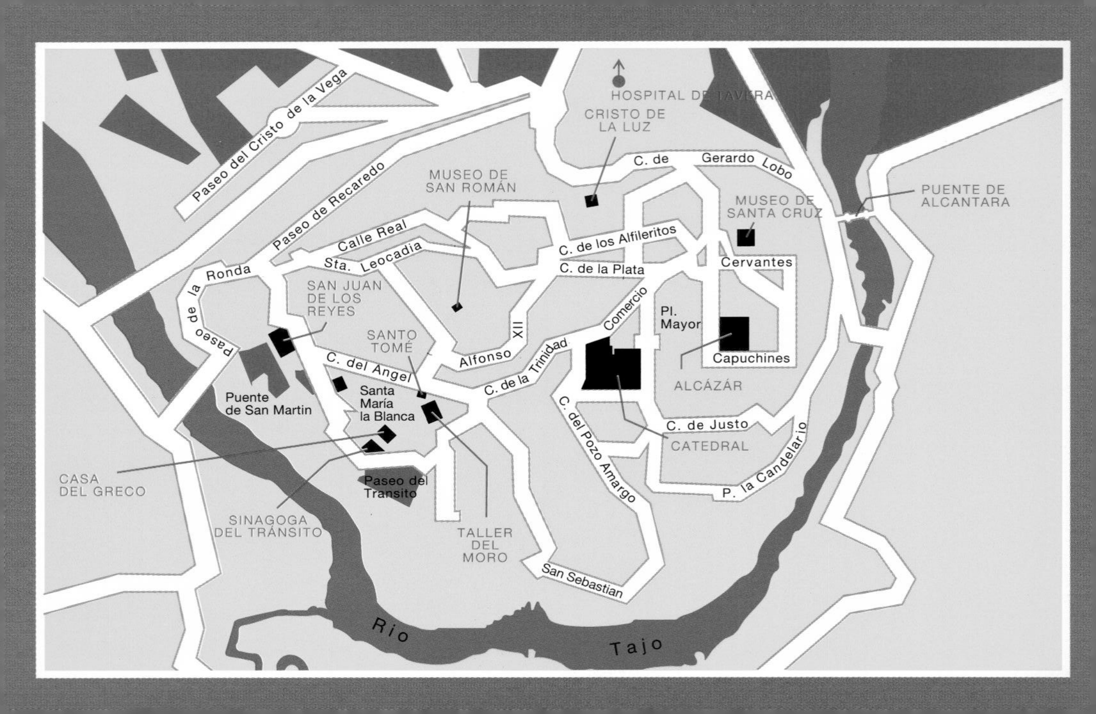
HOSPITAL DE TAVERA
CRISTO DE LA LUZ
C. de Gerardo Lobo
PUENTE DE ALCANTARA
MUSEO DE SANTA CRUZ
Paseo del Cristo de la Vega
Paseo de Recaredo
MUSEO DE SAN ROMÁN
Calle Real
C. de los Alfileritos
Cervantes
Sta. Leocadia
C. de la Plata
Paseo de la Ronda
SAN JUAN DE LOS REYES
Comercio
Pl. Mayor
Capuchines
SANTO TOMÉ
Alfonso XII
C. de la Trinidad
C. del Angel
ALCÁZAR
Puente de San Martin
Santa María la Blanca
C. de Justo
CATEDRAL
C. del Pozo Amargo
P. la Candelario
CASA DEL GRECO
Paseo del Transito
SINAGOGA DEL TRÁNSITO
TALLER DEL MORO
San Sebastian
Rio Tajo

Toledo*(Tolède)

A 70 km au sud-ouest de Madrid en voiture (N401). Trains depuis Atocha.

L'ancienne capitale de Castille, célèbre pour son exceptionnel ensemble architectural en pierres fauves, reste un lieu rempli d'histoire et de trésors. Entourée sur trois côtés par les gorges du Tage, la ville occupe un site impressionnant.

A la fin du IIe siècle, les Romains construisirent Toletum sur ce qui avait été un établissement celtibère, mais, au VIe siècle, la ville fut prise par les Wisigoths, qui en firent leur capitale, d'où ils régnèrent sur l'Espagne. Les Maures s'emparent de la ville en 712, mais Alphonse VI la leur reprend en 1085 avec l'aide du Cid, et fait de Tolède la capitale de la Castille chrétienne. Pendant une brève période au XVIe siècle, la ville devint la capitale d'une Espagne nouvellement unie, mais, lorsque Philippe II confia ce rôle à Madrid, la ville médiévale cessa d'évoluer et conserva cet aspect d'un autre âge que le visiteur aime découvrir aujourd'hui. Tolède reste néanmoins le siège du primat catholique.

Les Maures inaugurèrent l'âge d'or de Tolède ; la population atteignit alors 200 000 habitants, entassés dans un labyrinthe de maisons et de ruelles pavées, blotties sur le peu d'espace que leur offrait cet affleurement rocheux. Les chefs musulmans permirent aux juifs et aux chrétiens de conserver leur religion et leur culture : les talents s'épanouirent, la prospérité économique suivit et Tolède devint un centre d'érudition très célèbre. Ses intellectuels contribuèrent à répandre dans l'Europe du Moyen Age les connaissances scientifiques et la philosophie des cultures classique, arabe et juive. Cette prospérité et une relative tolérance continuèrent quand Tolède devint la capitale de la Castille ; l'architecture et les arts décoratifs témoignent d'ailleurs de ce mélange d'influence, notamment dans le style mudéjar*.

Ferdinand III et Alphonse X le Sage (1217-1284) encouragèrent la fusion des cultures. Il n'en fut pas de même sous les Rois Catholiques* qui, par le biais de l'Inquisition, persécutèrent les musulmans et les juifs et privèrent Tolède de nombreux grands talents. En 1577, le Greco* s'installa à Tolède, son talent ayant été jugé trop étrange par Philippe II. Le musée de Santa Cruz abrite de nombreuses toiles du peintre , ainsi qu'une *Crucifixion* de Goya*. La vue que l'on a de la ville aujourd'hui depuis le sud, de l'autre côté du Tage (près du Parador

RESTAURANTE

national sur Ctra Circunvalacion) semble à peu de choses près la même que celle que l'on voit dans les tableaux du Gréco*.
Hier comme aujourd'hui, la place triangulaire del Zocodover (nom qui vient de l'arabe et désignait le marché) marque le cœur de la cité, et c'est un bon point de départ pour faire un tour de la ville. La construction de la cathédrale commença au XIIIe siècle et dura plus de 200 ans. Entrez par la Puerta de Mollete, près de la tour principale, et traversez le cloître. Vous serez époustouflés par la noblesse de cet espace et par la richesse des décorations gothique, Renaissance et baroque. D'une fantaisie unique, le *Transparente* (composition sculpturale de Narciso Tomé) est un alliage baroque de peintures et de sculptures qui bénéficie d'un éclairage naturel. Dans la chapelle située sous le dôme, on continue de dire chaque jour la messe selon le rite wisigothique. La Sala Capitular comporte un remarquable plafond mudéjar* sculpté. La belle collection de peintures de la Sacristia abrite des œuvres du Greco*, de Velázquez* et de Goya*. Au sud-ouest se trouve la Juderia (ancien quartier juif), riche en édifices intéressants et en beaux exemples d'ouvrages mudéjar*. Le Palacio de Fuensalida, palais restauré du XVe siècle, jouxte le Taller del Moro où travaillaient les artisans employés à la cathédrale. Dans une chambre latérale de l'église Santo Tomé se trouve une des œuvres les plus célèbres du Greco, *L'Enterrement du comte d'Orgaz*. La Casa del Greco est une reconstitution d'une maison et d'un jardin du XVIe siècle. Quelques œuvres dignes d'intérêt y sont exposées, ainsi que dans le musée contigu. La Sinagoga del Transito a été contruite dans les années 1360 par Samuel Levy, riche financier et conseiller du roi. L'autre synagogue qui subsiste, édifice blanc portant le nom de Santa Maria la Blanca (vers 1200), est un chef-d'œuvre d'art mudéjar*. Les Rois Catholiques construisirent le monastère de San Juan de los Reyes pour célébrer une victoire sur les Portugais en 1476 ; son architecture est typique du gothique isabélin. L'église San Roman (XIIIe siècle) abrite le musée wisigothique et présente des œuvres d'art de cette époque. Près de la Puerta del Sol s'élève la petite mosquée de Cristo de la Luz (vers 1000), un des plus beaux exemples d'architecture mauresque ancienne. Enfin, la bâtiment Renaissance de l'hôpital de Tavera renferme, au milieu d'autres œuvres d'art, la célèbre *Femme à barbe* de Rivera.

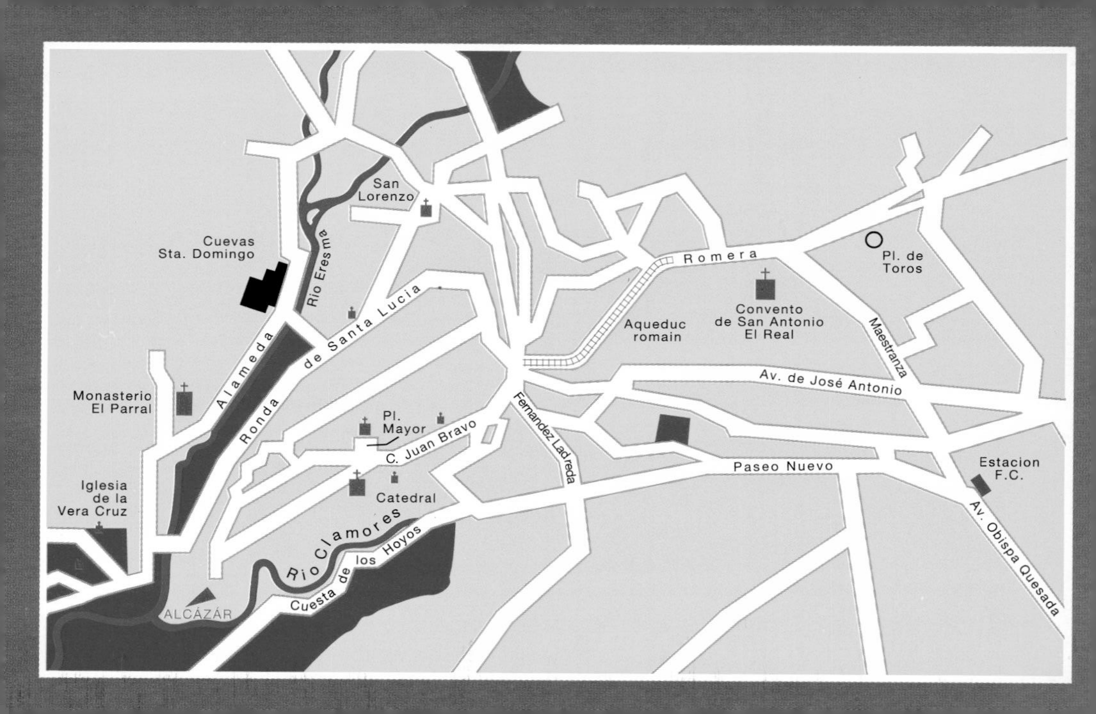
San Lorenzo
Cuevas Sta. Domingo
Rio Eresma
Romera
Pl. de Toros
Convento de San Antonio El Real
Aqueduc romain
Maestranza
Ronda de Santa Lucia
Alameda
Av. de José Antonio
Monasterio El Parral
Pl. Mayor
C. Juan Bravo
Fernandez Ladreda
Iglesia de la Vera Cruz
Catedral
Paseo Nuevo
Estacion F.C.
Rio Clamores
Cuesta de los Hoyos
ALCÁZAR
Av. Obispa Quesada

Segovia & La Granja

Environ 85 km au nord-ouest de Madrid. NVI, A6, sortie 3 pour prendre la N603. Trains depuis Atocha et Chamartin.

● Intérieurs d'église : durant les offices. Alcazar : 10h-19h. Cathédrale : 10h-19h. Vera Cruz : mar.-sam. : 10h-13h, 15h-19h. El Parral : 10h-13h, 15h-19h.

Derrière le massif de Guadarrama, la petite ville de Ségovie s'élève sur un éperon rocheux entre deux rivières. Toute en tourelles et en dômes, avec l'ancienne forteresse médiévale de l'Alcazár comme figure de proue, elle apparaît de loin comme un navire voguant sur la plaine castillane. Très importante jusqu'au XVIe siècle, la ville perdit ensuite la place qu'elle avait tenue en Espagne. La partie de la ville comprise à l'intérieur des solides remparts a conservé son noble aspect du Moyen Age, mais le temps et les éléments obligent aujourd'hui à entreprendre des travaux de restauration. Il reste néanmoins très agréable de déambuler dans les rues étroites et de flâner sur des places pleines de charme comme Conde de Cheste, San Martin ou la Plaza Mayor avec tous ses cafés. Voir **PLACES**.

Le plus ancien des trois grands monuments de Ségovie est l'aqueduc romain. Construit en pierres sèches au Ier siècle, il compte 118 arches sur deux étages et couvre 730 m, en passant notamment à 29 m au-dessus de la Plaza de Azoguejo. Cet aqueduc, un des plus beaux spécimens du genre, est toujours utilisé pour amener l'eau à Ségovie (dans une conduite moderne). L'Alcazár a été reconstruit après un incendie en 1882 dans le style « conte de fée » sur le site imposant d'une ancienne forteresse du XIIe siècle. Il subsiste quelques pièces d'origine, qui ont été restaurées comme au temps de sa grandeur. La cathédrale est surtout connue pour être le dernier grand ouvrage gothique réalisé en Espagne. Commencée en 1525, elle était déjà bien avancée à la fin du siècle, mais elle ne sera complètement achevée qu'au XVIIIe siècle. De l'extérieur, elle paraît très grande mais reste gracieuse. L'intérieur, très haut et clair, est sobrement décoré. La ville possède aussi de nombreuses belles maisons et d'intéressantes églises romanes.

Ces églises, avec leurs absides rondes et leur beffroi carré, ont la particularité d'avoir des arcades couvertes sous lesquelles les artisans et les marchands se réunissaient. Sous le mur nord se trouve l'Iglesia de la

Iglesia de la Vera Cruz

Alcázar

Plaza San Martin

Vera Cruz (de la vraie Croix, dont elle détenait jadis un fragment), église à douze faces construite au XIIIe siècle par l'ordre des Templiers dont les rites secrets se déroulaient dans les pièces à deux étages du milieu. Du haut de la tour, vous découvrirez un très beau panorama sur la ville et sur l'Alcazár. Parmi les quelques monastères des environs, El Parral, fondé en 1459, est le plus intéressant et il occupe un cadre très agréable.
Ségovie est très connue pour sa cuisine castillane traditionnelle, et notamment pour ses cochons de lait rôtis ; les vitrines des restaurants en sont pleines. La Meson de Candido, Plaza Azoguejo 5, est devenue une institution nationale. Le Parador moderne (hôtel), situé dans un cadre magnifique, est aussi une bonne étape de la gastronomie locale.

LA GRANJA DE SAN ILDEFONSO A 11 km au sud-est de Ségovie, N601.
● Jardins : mar.-ven. : 10h-19h. Palais : 10-13h30, 15h-17h. SAm.-dim. : 10h-14h.
Jeux de fontaines : jeu., sam., dim., j. fériés à 17h30 (mi-avr.-mi-nov.).
Nostalgique de Versailles, Philippe V chargea des architectes espagnols et italiens et des paysagistes français de créer un palais comparable, mais plus petit, dans ce cadre boisé. Mobilier de style impérial français mais, dans l'ensemble, d'origine espagnole (les lustres proviennent des cristalleries locales). Grand jardin à la française et nombreuses fontaines, dont une lance ses jets à une quarantaine de mètres de hauteur.

El Escorial

El Escorial*

A 40 km environ au nord-ouest de Madrid. NVI, C505. Trains depuis Atocha ou Charmartin.

● 10h-13h, 15h-18h.

Le village de San Lorenzo del Escorial est niché au pied des collines de la sierra de Guadarrama. Pour les Madrilènes, c'est une agréable villégiature d'été. Beaucoup de gens considèrent l'austère masse de granite d'El Escorial*, qui domine les lieux, comme la 8e merveille du monde. Philippe II, le plus puissant monarque de l'époque, chargea Juan Bautista de Toledo, puis Juan de Herrera*, d'édifier cet énorme rectangle qui comprend un monastère, une église, un panthéon royal et un palais d'été, et qui fut achevé en 1584. La tradition raconte que le monument fut construit en forme de gril, pour rappeler le martyre de saint Laurent, suplicié vif sur un gril ardent. Certaines parties sont encore utilisées comme collège et comme monastère. Le vaste Patio des Rois doit son nom aux six grands rois d'Israël dont les statues ornent la monumentale église surmontée d'un dôme. La Bibliothèque abrite la plus grande collection espagnole de livres rares. Les salles capitulaires et le nouveau musée contiennent une collection de trésors religieux et de peintures. Charles III et IV ont décoré et meublé le palais royal en fonction de leurs goûts de Bourbons. Philippe y régna en monarque tout-puissant, puis, plus tard, put y méditer sur les déceptions de son empire en déclin. Les visites guidées sont obligatoires pour les appartements royaux (riche mobilier, tapisseries et peintures). On peut également visiter deux pavillons construits pour Charles IV et son frère: la Casita del Principe et la Casita del Arriba.

VALLE DE LOS CAÍDOS. A 13 km au nord d'El Escorial.

● 10h-19h. Fermé certains jours fériés.

La vallée des « tués » (de la guerre civile, été 1936-printemps 1939). Dans les années 50, de nombreux prisonniers politiques de Franco* ont travaillé très dur pour creuser en tunnel une basilique longue de 245 m à l'intérieur d'un affleurement en granite, et ériger sur le haut une croix géante, dans cette charmante vallée des monts Guadarrama. Franco* est enterré dans la basilique.

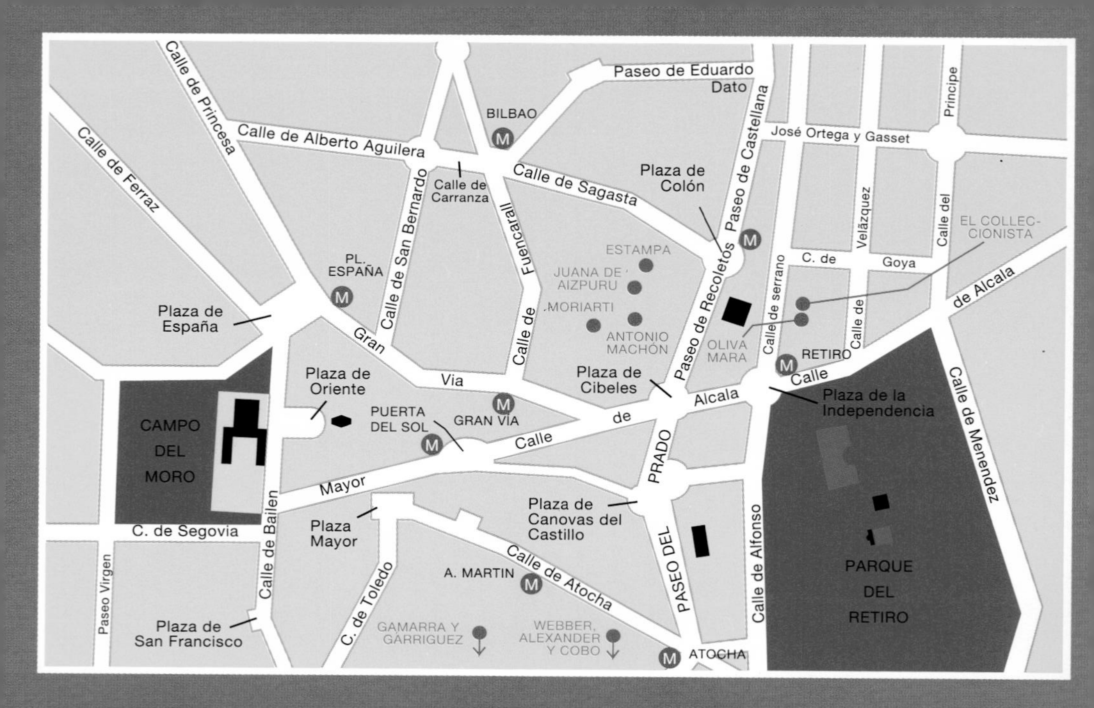

Calle de Princesa
Calle de Ferraz
Calle de Alberto Aguilera
BILBAO
Paseo de Eduardo
Dato
Paseo de Castellana
José Ortega y Gasset
Principe
Calle de
Carranza
Calle de Sagasta
Plaza de
Colón
Velázquez
Calle del
EL COLLEC-
CIONISTA
C. de
Goya
de Alcala
PL.
ESPAÑA
Calle de San Bernardo
Fuencarral
Calle de
ESTAMPA
JUANA DE
AIZPURU
MORIARTI
ANTONIO
MACHÓN
Paseo de Recoletos
Calle de serrano
Calle de
OLIVA
MARA
RETIRO
Plaza de
España
Gran
Via
Plaza de
Cibeles
Calle
Alcala
Plaza de la
Independencia
Calle de Menendez
Plaza de
Oriente
PUERTA
DEL SOL
GRAN VIA
de
Calle
PRADO
CAMPO
DEL
MORO
Mayor
Plaza
Mayor
Plaza de
Canovas del
Castillo
C. de Segovia
Calle de Bailen
PASEO DEL
Calle de Alfonso
PARQUE
DEL
RETIRO
A. MARTIN
Calle de Atocha
C. de Toledo
Paseo Virgen
Plaza de
San Francisco
GAMARRA Y
GARRIGUEZ
WEBBER,
ALEXANDER
Y COBO
ATOCHA

Les galeries d'art commerciales permettent de voir ce qui se fait actuellement en matière d'art contemporain. Madrid compte un bon nombre de ces galeries - la plupart situées dans les rues autour du Paseo de Recoletos et autour de l'immense complexe d'art de Reina Sofía. En voici quelques-unes :

OLIVA MARA Claudio Coello 19. Mo : Retiro, Serrano.
Petite galerie qui présente pendant 2 à 4 semaines des artistes peu connus.

WEBBER, ALEXANDER Y COBO Doctor Fourquet 12.
M° : Atocha.
Deux galeristes américains se sont associés avec un Espagnol pour créer cette galerie.

EL COLECCIONISTA Claudio Coello 23. M° : Retiro, Serrano.
Vous pourrez admirer et acheter les œuvres du célèbre peintre catalan Tápies.

GAMARRA Y GARRIGUEZ Doctor Fourquet 12. M° : Atocha.
Une galerie réputée qui a déménagé au Centro de Arte Reina Sofiá. *Voir* MUSÉES 3.

JUANA DE AIZPURU Barquillo 44. M° : Chueca, Colón.
Vous y verrez les œuvres d'artistes connus, tels Barceló et Xesús Vázquez.

MORIARTI Almirante 5. M° : Chueca, Banco.
Une nouvelle galerie qui encourage de jeunes artistes.

ANTONIO MACHÓN Conde de Xiquena 8. M° : Chueca, Colón.
Œuvres d'artistes modernes ; premières éditions de livres et de lithographies.

ESTAMPA Argensola 6. M° : Chueca, Colón.
Artistes espagnols modernes. Expositions individuelles ou collectives autour d'un thème.

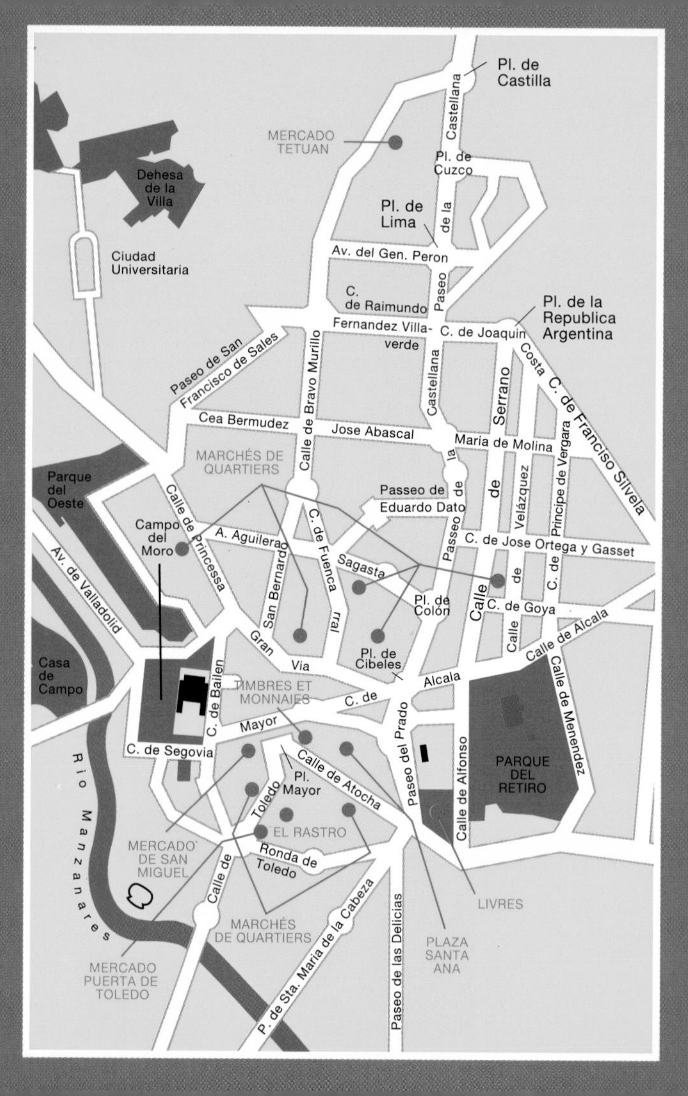

Pl. de Castilla
Castellana
MERCADO TETUAN
Pl. de Cuzco
Dehesa de la Villa
Pl. de Lima
de la
Ciudad Universitaria
Av. del Gen. Peron
C. de Raimundo
Paseo
Pl. de la Republica Argentina
Fernandez Villa-verde
C. de Joaquin
Costa
Paseo de San Francisco de Sales
Calle de Bravo Murillo
Castellana
Serrano
C. de Francisco Silvela
Cea Bermudez
Jose Abascal
Maria de Molina
MARCHÉS DE QUARTIERS
la
Principe de Vergara
Parque del Oeste
Passeo de Eduardo Dato
de
Velázquez
Campo del Moro
Calle de Princessa
C. de Fuenca
rral
A. Aguilera
Passeo de
C. de Jose Ortega y Gasset
Av. de Valladolid
San Bernardo
Sagasta
Calle
de
C. de
Pl. de Colón
C. de Goya
Calle
Gran
Pl. de Cibeles
Calle de Alcala
Casa de Campo
Via
C. de Bailen
TIMBRES ET MONNAIES
Alcala
C. de
Calle de Menendez
Mayor
Paseo del Prado
C. de Segovia
Calle de Atocha
Pl. Mayor
Calle de Alfonso
PARQUE DEL RETIRO
Rio Manzanares
Toledo
EL RASTRO
MERCADO DE SAN MIGUEL
Ronda de Toledo
Calle de
LIVRES
MARCHÉS DE QUARTIERS
P. de Sta. Maria de la Cabeza
Paseo de las Delicias
PLAZA SANTA ANA
MERCADO PUERTA DE TOLEDO

EL RASTRO Plaza de Cascorro, Ribera de Curtidores.
● Surtout intéressant le dimanche : 9h-14h. M° : La Latina.
Toute l'animation d'un des marchés aux puces les plus célèbres d'Europe se donne libre cours le dimanche matin, un peu moins les vendredi et samedi. Des myriades d'éventaires se dressent dans le dédale des rues. Le marchandage fait partie du jeu.

LIVRES Cuesta Claudio Moyano.
● Tous les jours, mais de préférence le dimanche. M° : Atocha.
Livres d'occasion espagnols et étrangers. Au milieu de livres reliés ou de fins de séries, vous pouvez tomber sur des premières éditions, mais le marchand en connaît généralement parfaitement la valeur.

TIMBRES ET MONNAIES Plaza Mayor.
● Dim. et j. fériés : 10h-14h. M° : Sol.
Un bon endroit où fureter si votre collection est maigre en timbres espagnols ou latino-américains.

MERCADO TETUÁN
● Dim. matin. Les rues autour du M° Tetuán.
Un marché aux puces animé qui a gardé une atmosphère très authentique.

MERCADO DE SAN MIGUEL Plaza de San Miguel.
● Jours de semaine. M° : Opera, Sol.
Tout le spectacle et les odeurs d'un marché animé, dans une vieille halle en fer et en verre.

MERCADO PUERTA DE TOLEDO Ronda de Toledo.
● T.l.j. sauf le dim. M° : Puerta de Toledo.
Marché couvert moderne avec des vêtements de stylistes, des antiquités... et le fameux café del Mercado (salsa).

MARCHÉS DE QUARTIERS
● Le matin en semaine. M° : Antón Martín, La Latina, Callao, Argüelles, Tribunal, Chueca, Serrano.
Le spectacle gratuit des ménagères et des marchands dans un bruyant échange de plaisanteries. Ces marchés sont situés près des stations de métro indiquées ; il vous suffit de demander « el mercado ».

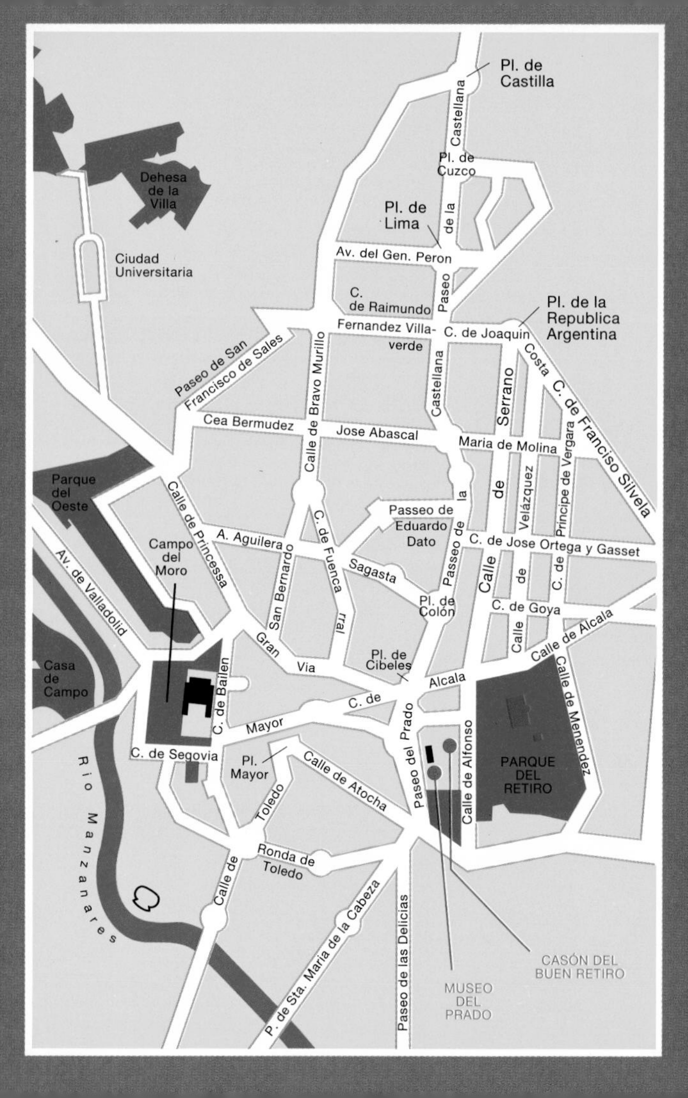
Pl. de Castilla
Castellana
Pl. de Cuzco
de la
Paseo
Pl. de Lima
Dehesa de la Villa
Ciudad Universitaria
Av. del Gen. Peron
C. de Raimundo
Fernandez Villa-verde
Pl. de la Republica Argentina
C. de Joaquin
Costa
Paseo de San Francisco de Sales
Calle de Bravo Murillo
Castellana
Serrano
C. de Francisco Silvela
Cea Bermudez
Jose Abascal
Maria de Molina
Principe de Vergara
Velázquez
Parque del Oeste
Calle de Princessa
Passeo de Eduardo Dato
Paseo de la
Calle de
A. Aguilera
C. de Fuenca
rral
San Bernardo
Campo del Moro
Sagasta
C. de Jose Ortega y Gasset
Av. de Valladolid
Pl. de Colón
C. de Goya
Calle de
C. de
Gran Via
Pl. de Cibeles
Calle de Alcala
Casa de Campo
C. de Bailen
Alcala
C. de
Calle de Menendez
Mayor
Paseo del Prado
Calle de Alfonso
C. de Segovia
Pl. Mayor
PARQUE DEL RETIRO
Rio Manzanares
Calle de Atocha
Toledo
Ronda de Toledo
Calle de
P. de Sta. Maria de la Cabeza
Paseo de las Delicias
CASÓN DEL BUEN RETIRO
MUSEO DEL PRADO

MUSEO NACIONAL DEL PRADO* Paseo del Prado
● Mar.-sam. : 9h-19h, dim. et j. fériés : 9h-14h. M° : Banco, Antón Martín, Atocha.
C'est la première pinacothèque d'Espagne et l'un des plus grands musées du monde. On rertrouve, dans l'édifice néoclassique de Juan de Villanueva, les plus belles collections de la Maison royale, de nombreuses œuvres provenant de monastères ou d'églises et des donations.
*L'école flamande des XVe et XVIe siècles y est bien représentée, avec des œuvres de Memling (*L'Épiphanie*) ou de Van der Weyden (*La descente de Croix*).*
La Renaissance italienne est illustrée par des toiles de Fra Angelico, Mantegna, Raphaël, parmi d'autres peintres. Les Bacchanales *de Titien et des œuvres de Véronèse ou du Tintoret illustrent à merveille l'école vénitienne.*
Le musée présente également des peintures de l'époque classique (XVIIe s.) et baroque, flamandes, hollandaises, françaises, allemandes et anglaises (Rembrandt, Teniers, Poussin, Van Dyck, etc.).
Mais le Prado est surtout renommé pour sa splendide collection de peinture espagnole, spécialement à partir du XVe siècle. Trois salles rassemblent des œuvres du Greco, cinq salles des œuvres de Velásquez* (*Les Ménines, Les Fileuses*). Goya* est représenté (cartons de tapisseries et tableaux). Ribera*, Zurbaran*, Murillo* parmi d'autres peintres espagnols de toutes les époques sont également bien mis en valeur.*
Le musée expose des collections de sculpture et de bijoux. Voir Museo del Prado*.

CASÓN DEL BUEN RETIRO Alfonso XII 28.
● Mar.-sam. : 9h-19h, dim. et j. fériés : 9h-14h. Billet valable également pour le Prado. M° : Banco, Antón Martín, Atocha.
Une partie du musée est consacrée au Guernica *de Picasso, présenté dans une mise en scène impressionnante ; l'autre moitié réunit des œuvres de la peinture espagnole du XIXe siècle. Le célèbre tableau de Picasso sera bientôt transféré au Centro Reina Sofiá (voir* **MUSÉES 3***).*

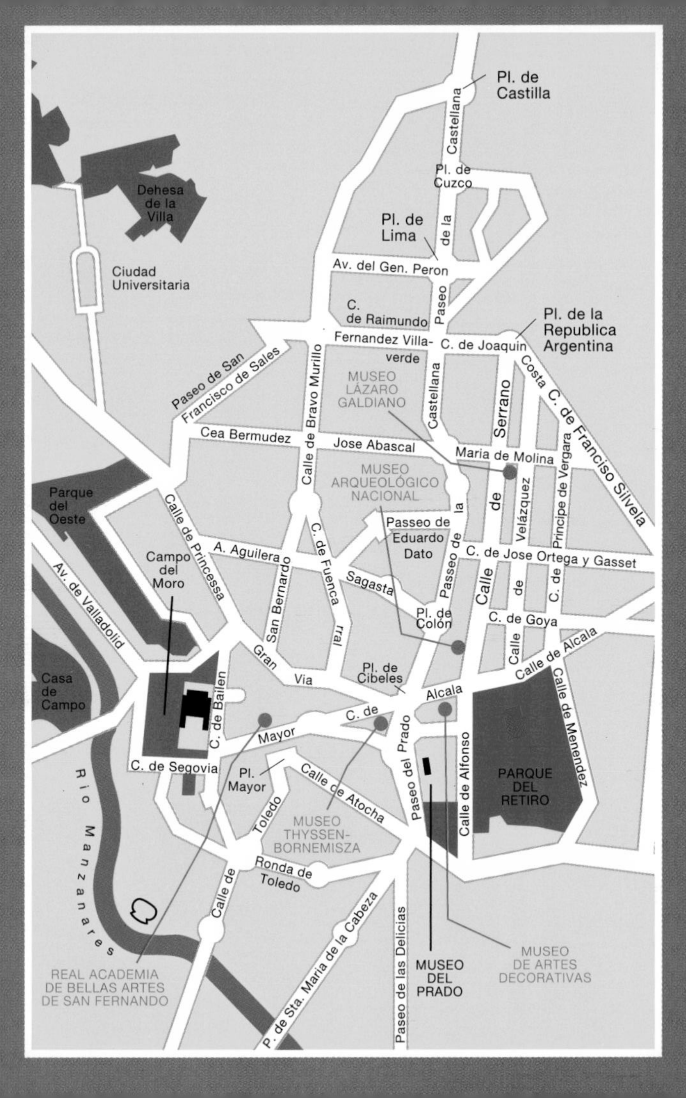

Pl. de Castilla
Castellana
Pl. de Cuzco
Dehesa de la Villa
Pl. de Lima
de la
Ciudad Universitaria
Av. del Gen. Peron
Paseo
C. de Raimundo
Pl. de la Republica Argentina
Fernandez Villa-verde
C. de Joaquin
Paseo de San Francisco de Sales
Calle de Bravo Murillo
MUSEO LÁZARO GALDIANO
Castellana
Serrano
Costa
C. de Francisco Silvela
Cea Bermudez
Jose Abascal
Maria de Molina
MUSEO ARQUEOLÓGICO NACIONAL
de
Velázquez
Principe de Vergara
Parque del Oeste
Calle de Princessa
Passeo de Eduardo Dato
Paseo de la
C. de Jose Ortega y Gasset
Campo del Moro
A. Aguilera
San Bernardo
C. de Fuenca rral
Sagasta
Calle
de
C. de
Av. de Valladolid
Pl. de Colón
C. de Goya
Gran Via
Calle
Calle de Alcala
Casa de Campo
C. de Bailen
Pl. de Cibeles
Alcala
C. de
Calle de Menendez
Mayor
Paseo del Prado
C. de Segovia
Pl. Mayor
Calle de Atocha
Calle de Alfonso
PARQUE DEL RETIRO
Rio Manzanares
Toledo
MUSEO THYSSEN-BORNEMISZA
Ronda de Toledo
Calle de
P. de Sta. Maria de la Cabeza
Paseo de las Delicias
MUSEO DE ARTES DECORATIVAS
MUSEO DEL PRADO
REAL ACADEMIA DE BELLAS ARTES DE SAN FERNANDO

REAL ACADEMIA DE BELLAS ARTES DE SAN FERNANDO Alcalá 13

● Mar.-sam. : 9h-19h, dim. : 9h-14h. M° : Sol.

L'Académie royale des Beaux-Arts abrite des tableaux et sculptures de grands maîtres (Greco, Zurbaran*, Murillo*, Goya*...). C'est la deuxième collection d'art espagnol et d'art européen, à Madrid, après le Prado*.*

MUSEO ARQUEOLÓGICO NACIONAL Serrano 13

● Mar.-dim. : 9h30-13h30. M° : Colón, Serrano.

Belles pièces de la préhistoire, de l'antiquité et de l'Espagne wisigothique.

MUSEO THYSSEN-BORNEMISZA Passeo del Prado 8.

● Mar.-sam. : 9h-19h, dim. : 9h-14h. M° : Banco, Antón Martín, Atocha.

La collection du baron néerlandais Thyssen, qui réunit des tableaux anciens et modernes, est actuellement l'une des collections privées les plus riches au monde. A partir du printemps 1992 et pour une durée de dix ans, cette collection sera abritée dans le Palacio de Villahermosa, en face du musée du Prado. Les œuvres exposées, qui occuperont trois étages, couvriront tout l'art occidental, depuis le début de la Renaissance italienne jusqu'à l'expressionisme abstrait américain de Jackson Pollock. A la collection de maîtres anciens, qui comprend notamment Dürer, Van Eyck, Le Tintoret, s'ajoute un nombre impressionnant d'œuvres du XXe siècle.

MUSEO LAZARO GALDIANO Serrano 122

● Mar.-dim. : 10h-14h (fermé en août). M° : Nunez de Balboa.

Surpenante collection privée d'art (Goya, Velásquez*...) et de bijoux, céramiques, ivoires léguée à l'État.*

MUSEO NACIONAL DE ARTES DECORATIVAS Montalbán 12

● Mar.-ven. : 9h30-11h30, sam. et dim. : 10h-14h. M° : Banco, Retiro.

Les arts décoratifs espagnols au cours des cinq derniers siècles.

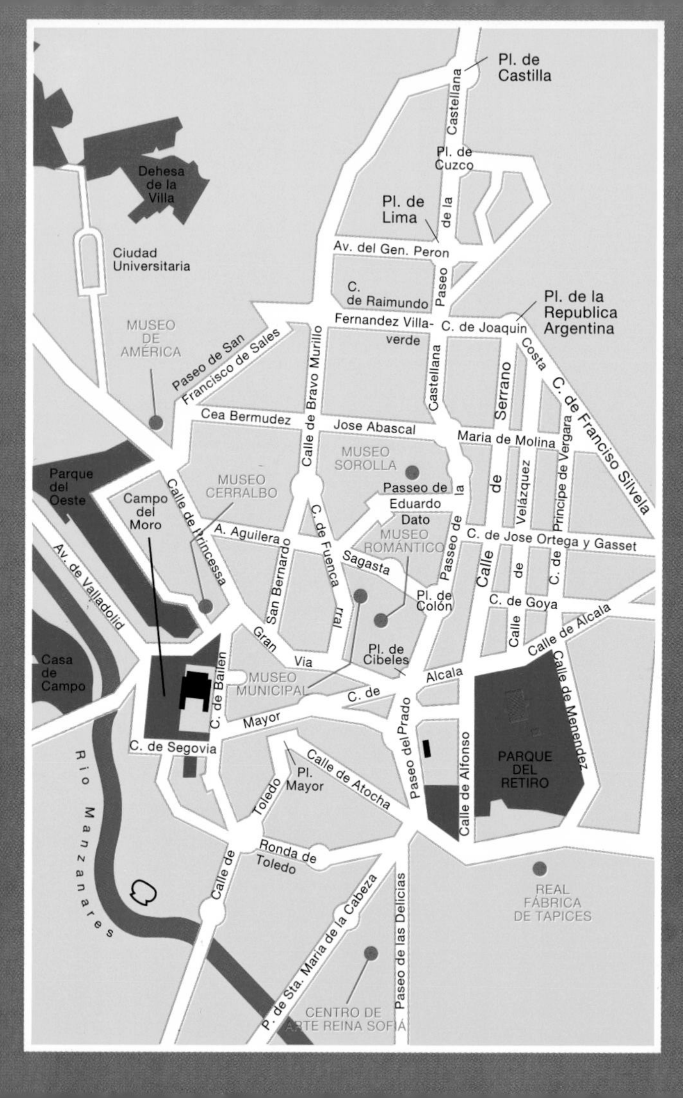
Pl. de Castilla
Castellana
Pl. de Cuzco
Pl. de Lima
de la
Paseo
Av. del Gen. Peron
C. de Raimundo
Fernandez Villa-verde
Pl. de la Republica Argentina
C. de Joaquin
Costa
C. de Francisco Silvela
Dehesa de la Villa
Ciudad Universitaria
MUSEO DE AMÉRICA
Paseo de San Francisco de Sales
Calle de Bravo Murillo
Castellana
Serrano
Cea Bermudez
Jose Abascal
Maria de Molina
MUSEO SOROLLA
Velázquez
Principe de Vergara
Parque del Oeste
Campo del Moro
Calle de Princessa
MUSEO CERRALBO
Passeo de Eduardo Dato
Paseo de la
de
MUSEO ROMÁNTICO
A. Aguilera
C. de Fuenca
San Bernardo
Sagasta
C. de Jose Ortega y Gasset
Calle
de
C. de
Av. de Valladolid
Pl. de Colón
C. de Goya
Calle
Calle de Alcala
Gran Via
Pl. de Cibeles
Casa de Campo
MUSEO MUNICIPAL
C. de Bailen
Alcala
C. de
Mayor
Calle de Menendez
C. de Segovia
Pl. Mayor
Calle de Atocha
Paseo del Prado
Calle de Alfonso
PARQUE DEL RETIRO
Rio Manzanares
Toledo
Ronda de Toledo
Calle de
REAL FÁBRICA DE TAPICES
P. de Sta. Maria de la Cabeza
Paseo de las Delicias
CENTRO DE ARTE REINA SOFIÁ

MUSEO DE AMÉRICA Reyes Católicos 6
● Mar.-dim. : 10h-14h. M° : Moncloa.
Remarquable collection d'objets en provenance du Nouveau Monde. Des manifestations exceptionnelles sont prévues pour célébrer le cinq centième anniversaire de la découverte de l'Amérique par C. Colomb.

MUSEO MUNICIPAL Fuencarral 78
● Mar.-sam. : 10h-14h, 17h-21h (dim. : 10h-13h30). M° : Tribunal.
Exposition permanente retraçant le développement de Madrid au cours des âges.

MUSEO ROMÁNTICO San Mateo 13
● Mar.-dim. : 10h-15h (fermé j. fériés et en août). M° : Tribunal.
Ce petit palais et ses intérieurs évoquent le style de vie des aristocrates au XIXe siècle. A signaler quelques tableaux intéressants.

MUSEO CERRALBO Ventura Rodriguez 17
● Mar.-sam. : 10h-15h (fermé j. fériés et en août). M° : Ventura Rodriguez, Plaza de Espana.
Collection de tapisseries et d'œuvres mineures du Greco, de Goya*, etc. Belles pièces de porcelaine.*

REAL FÁBRICA DE TAPICES Fuenterrabia 2
● Lun.-ven. : 9h30-12h30, (fermé les j. fériés et en août).
M° : Menende Pelayo.
On peut y suivre la fabrication de tapisseries, réalisées à la main d'après des cartons de Goya, entre autres. Possibilité d'acheter.

MUSEO SOROLLA General Martínez Campos 37
● Mar.-dim. : 10h-14h (fermé j. fériés, août). M° : Rubén Dario.
Œuvres du peintre impressionniste Valencien Joaquin Sorolla (1863-1923) exposées dans la maison de l'artiste.

CENTRO DE ARTE REINA SOFÍA Calle Hospital
M° : Lavapiés.
Dans un ancien hôpital du XVIIIe s., centre culturel consacré à l'art contemporain du monde entier. Expositions, cinémathèque, salle de concert, etc. *Voir* SPECTACLES.

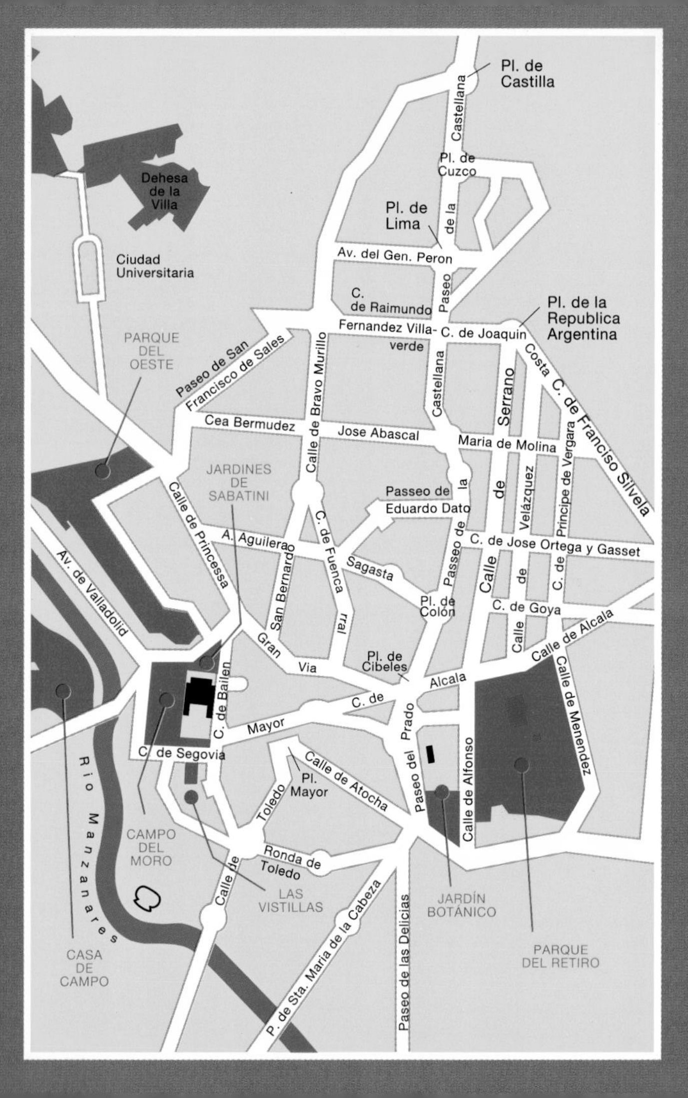

Pl. de Castilla
Castellana
Pl. de Cuzco
Dehesa de la Villa
Pl. de Lima
de la
Ciudad Universitaria
Av. del Gen. Peron
Paseo
C. de Raimundo
Pl. de la Republica Argentina
Fernandez Villa- verde
C. de Joaquin
Costa
PARQUE DEL OESTE
Paseo de San Francisco de Sales
Calle de Bravo Murillo
Castellana
Calle de Serrano
C. de Francisco Silvela
Cea Bermudez
Jose Abascal
Maria de Molina
JARDINES DE SABATINI
Passeo de Eduardo Dato
Velázquez
Principe de Vergara
Calle de Princessa
C. de Fuencarral
Passeo de la
A. Aguilera
C. de Jose Ortega y Gasset
Av. de Valladolid
Sagasta
San Bernardo
de
C. de
Pl. de Colón
C. de Goya
Calle
Gran Via
Calle de Alcala
Pl. de Cibeles
C. de Bailen
Alcala
Calle de Menendez
C. de
Mayor
Paseo del Prado
C. de Segovia
Calle de Atocha
Pl. Mayor
Calle de Alfonso
Rio Manzanares
Toledo
CAMPO DEL MORO
Ronda de Toledo
Calle de
LAS VISTILLAS
P. de Sta. Maria de la Cabeza
Paseo de las Delicias
JARDÍN BOTÁNICO
PARQUE DEL RETIRO
CASA DE CAMPO

PARQUE DEL RETIRO

M° : Retiro, Principe de Vergara, Banco, Atocha.
150 hectares de bois, de pelouses et de jardins : un petit lac où canoter, un énorme monument dédié à Alphonse XII, de nombreuses statues, deux salles d'exposition, un théâtre de plein-air, des stands de rafraîchissement, des promenades à cheval ou en carriole, des artistes de rues, musiciens ambulants, marionnettistes, etc. Très vivant pendant les mois d'été et les week-ends, surtout le dimanche.

CASA DE CAMPO

M° : Lago, Batán, ou téléphérique au départ de Parque del Oeste.
Avec ses 200 hectares d'arbres, de pelouses et de sentiers, c'est le poumon de Madrid. Vous y trouverez un lac avec des barques, un centre sportif, des piscines, un parc d'attractions, des restaurants, le zoo et des espaces d'exposition. Des minibus relient les différentes parties du parc. Voir ENFANTS, *Colón*.*

JARDÍN BOTÁNICO

Entrée près du Prado. M° : Atocha. ● 10h-20h
Environ 30 000 espèces en provenance du monde entier. On peut acheter herbes et tisanes au magasin de l'entrée.

JARDINES DE SABATINI M° : Opera.

Ce jardin à la française, aménagé au XXe siècle, jouxte la façade nord du Palacio Real.*

PARQUE DEL OESTE

M° : Plaza de España, Norte, Moncloa.
Jardin étroit et tout en longueur. A l'extrémité sud, on trouve le Templo de Debod et La Rosaleda (roseraie). Très fréquenté par les étudiants.*

CAMPO DEL MORO

M° : Norte, Opera.
Des allées, des arbres et des arbustes dans ce jardin que surplombe la façade ouest du Palacio Real.*

LAS VISTILLAS

M° : La Latina.
Petit jardin en hauteur offrant de beaux points de vue sur la ville.

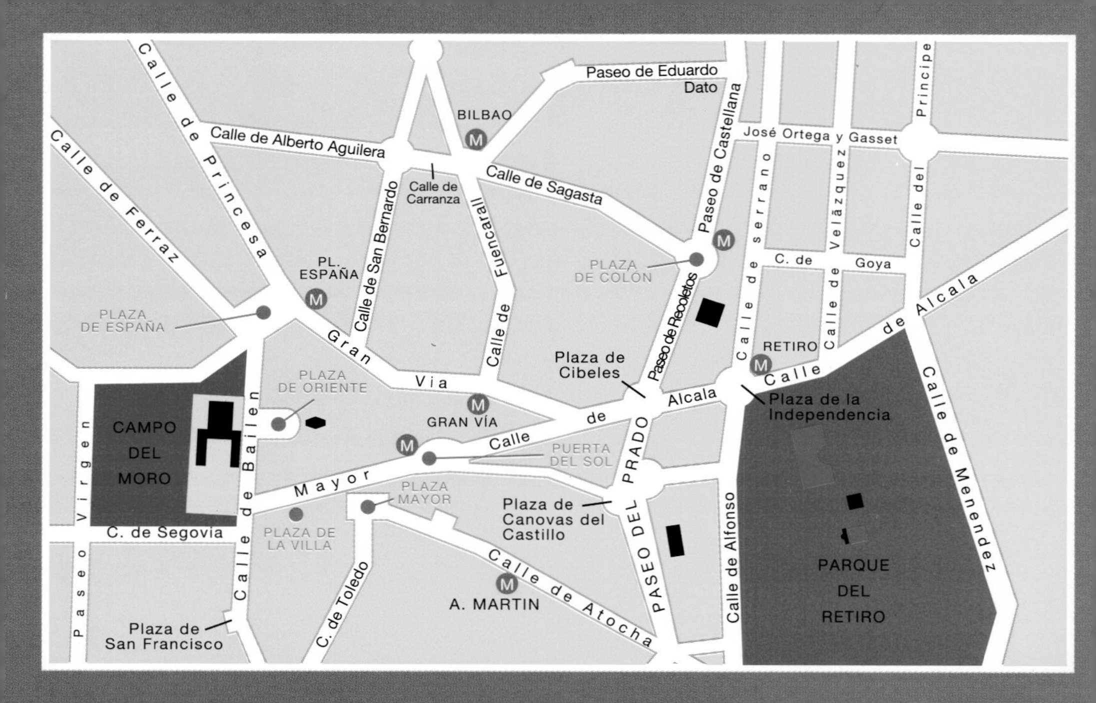

Calle de Ferraz
Calle de Princesa
Calle de Alberto Aguilera
BILBAO
Paseo de Eduardo Dato
Paseo de Castellana
José Ortega y Gasset
Principe
Calle del
Calle de Carranza
Calle de San Bernardo
Calle de Fuencarral
Calle de Sagasta
Calle de Serrano
Calle de Velãzquez
C. de Goya
PL. ESPAÑA
PLAZA DE ESPAÑA
PLAZA DE COLÓN
Paseo de Recoletos
Gran Via
RETIRO
Calle de Alcala
Plaza de Cibeles
Plaza de la Independencia
Calle de Menendez
PLAZA DE ORIENTE
GRAN VÍA
Calle de Alcala
CAMPO DEL MORO
Calle de Bailen
Virgen
PUERTA DEL SOL
PASEO DEL PRADO
Calle Mayor
PLAZA MAYOR
Plaza de Canovas del Castillo
Calle de Alfonso
PARQUE DEL RETIRO
C. de Segovia
PLAZA DE LA VILLA
Paseo
C. de Toledo
Calle de Atocha
A. MARTIN
Plaza de San Francisco

PLAZA MAYOR
M° : Sol.
Cette grande place, terminée en 1619 sous le règne de Philippe III (dont la statue est au milieu), servait de cadre aux cérémonies et parades officielles. Magasins, bars et restaurants sous les arcades ; terrasses de café au soleil. Voir A NE PAS MANQUER.

PUERTA DEL SOL
M° : Sol.
La « porte du soleil », qui a connu certains réaménagements récents, est le centre trépidant des communications pour Madrid et l'Espagne : trois lignes de métro, plusieurs lignes d'autobus, dix rues se croisent ici. C'est également le point à partir duquel sont mesurées toutes les distances en Espagne.

PLAZA DE ESPAÑA
M° : Plaza de España.
Grande place dégagée, dominée par la haute Torre de Madrid (années 50) et l'Edificio de Espana. Vous y verrez le monument à la mémoire de Cervantes et les statues de bronze représentant ses personnages : Don Quichotte et Sancho Pança.

PLAZA DE LA VILLA
M° : Sol.
La plus belle place de la vieille ville, avec ses édifices bien conservés du XVIe siècle : Ayuntamiento, Casa de Cisneros et Torre de Lujanes.

PLAZA DE ORIENTE
M° : Opera.
Une jolie place, commencée par un frère de Napoléon. Nombreuses statues, dont certaines jugées trop lourdes pour aller au Palacio Real auquel elles étaient destinées (statue équestre de Philippe IV).*

PLAZA DE COLÓN*
M° : Colón.
Beaucoup de circulation et de grands immeubles autour de cette place créée dans les années 70. En-dessous, un parking, une gare routière et le Centro Cultural de la Villa. Au-dessus, les monuments à Christophe Colomb (Colón) : la Découverte et la Constitution.

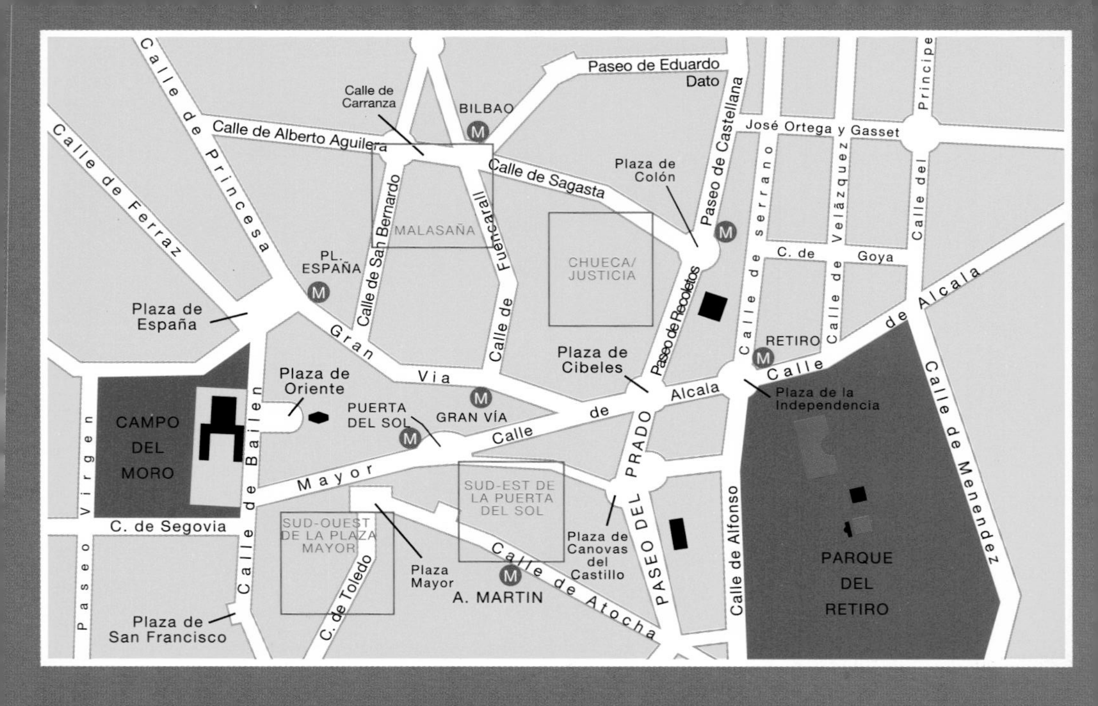

Calle de Princesa
Calle de Ferraz
Calle de Alberto Aguilera
Calle de Carranza
BILBAO
Paseo de Eduardo Dato
Calle de Sagasta
Plaza de Colón
Paseo de Castellana
José Ortega y Gasset
Principe
Calle del
Calle de Serrano
Calle de Velãzquez
C. de Goya
MALASAÑA
Calle de San Bernardo
Calle de Fuencarall
PL. ESPAÑA
CHUECA/ JUSTICIA
Paseo de Recoletos
Plaza de España
Gran Via
Calle de Alcala
RETIRO
Plaza de Cibeles
Plaza de la Independencia
Calle de Menendez
Plaza de Oriente
PUERTA DEL SOL
GRAN VÍA
CAMPO DEL MORO
Calle de Bailen
Calle Mayor
PASEO DEL PRADO
Calle de Alfonso
Paseo Virgen
C. de Segovia
SUD-EST DE LA PUERTA DEL SOL
SUD-OUEST DE LA PLAZA MAYOR
Plaza Mayor
Plaza de Canovas del Castillo
PARQUE DEL RETIRO
C. de Toledo
A. MARTIN
Calle de Atocha
Plaza de San Francisco

Quartiers

Nous vous présentons quatre quartiers du centre où vous pourrez flâner et trouver un endroit où manger qui soit sympathique par son décor, son menu et ses prix (affichés à l'extérieur). « Bon marché » désigne les restaurants où vous pouvez manger pour moins de 1200 pesetas ; «prix moyens» : moins de 2000 PTA ; « cher » : plus de 3000 PTA.

SUD-OUEST DE LA PLAZA MAYOR M° : Sol, La Latina.
Tascas *et* mesones *(les « bistrots » espagnols) castillanes traditionnelles se suivent dans le dédale des rues médiévales du vieux Madrid. Cava de San Miguel, Cuchilleros, Cava Baja, Puerta Cerrada et dans bien d'autres ruelles et places, suivez le rituel de l'«* ir de mesones* *» pour goûter les* tapas* *avant d'en choisir un comme plat principal. Cueva de Luis Candelas (Cuchilleros 1) : vieux restaurant, pittoresque, bruyant repaire de touristes, bonnes viandes rôties. Prix moyens. Estaban (Cava Baja 36) : probablement un des meilleurs de la rue. Prix moyens. Malacatín (Ruda 5) : clientèle d'habitués, simple, cuisine du cru. Bon marché.*

SUD-EST DE PUERTA DEL SOL M° : Sol, Sevilla, Antón Martín.
Très forte concentration de restaurants bon marché mais néanmoins de qualité. Des dizaines d'établissements familiaux sans prétention vous proposeront une excellente cuisine de toutes les régions d'Espagne : rues Echegaray, Ventura de la Vega, Manuel Fernández y González, Hertas et autour de la Plaza Santa Ana. D'a Queimada (Echegaray) : excellente paella ; Casa Ramón (Ventura de la Vega) : spécialités castillanes ; dans la même rue, Jaurigui et Bilbaino offrent de la cuisine basque.

CHUECA/JUSTICIA M° : Chueca, Colón.
C'est le quartier de prédilection des Madrilènes branchés, et les nouveaux restaurants, animés par de jeunes chefs aventureux, se sont multipliés : Gambón (Barbieri 1) : cuisine soignée dans ce petit restaurant bon marché ; Bar del Theatro (Prim 5) : bar classique ou sympathique bistrot pour une cuisine basque à prix moyens ; Café Latino (Augusto Figueroa 47) : café traditionnel, prix moyens.

MALASAÑA M° : Bilbao, Tribunal.
Pas de hauts lieux culinaires dans ce quartier, mais plein d'endroits où manger à petits prix, souvent en musique. Dans la journée, le quartier est tranquille ; le soir, l'atmophère est jeune et bruyante.

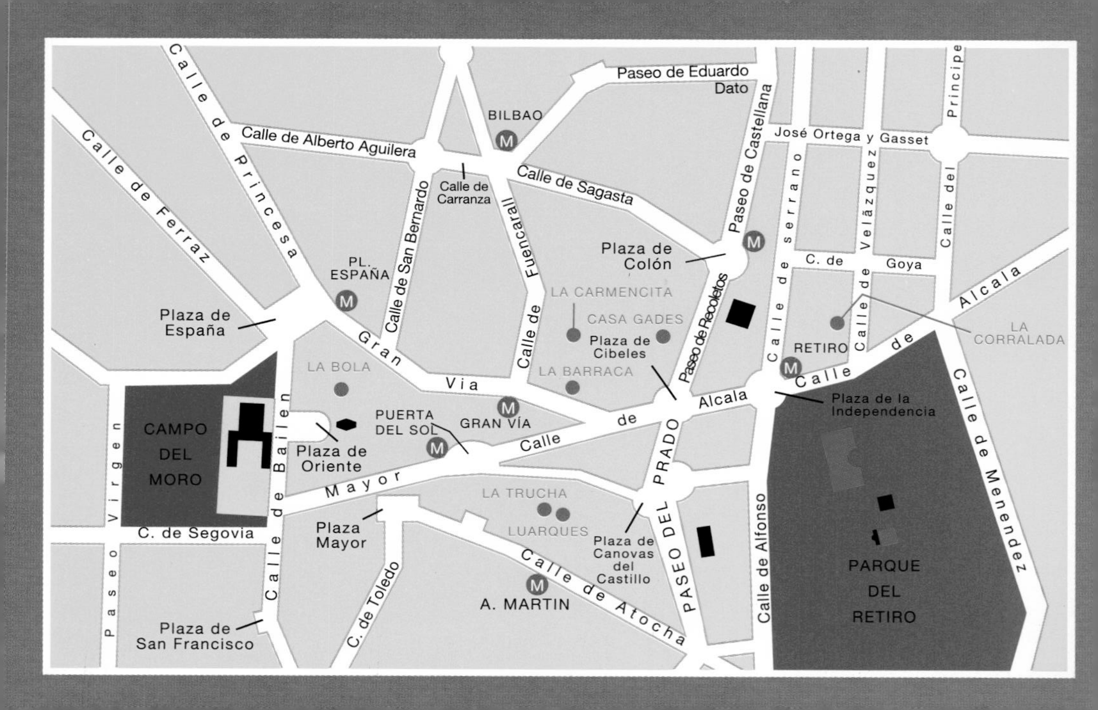
Calle de Princesa
Calle de Ferraz
Calle de Alberto Aguilera
BILBAO
Paseo de Eduardo Dato
José Ortega y Gasset
Principe
Calle del
Calle de Carranza
Calle de Sagasta
Calle de San Bernardo
Fuencarall
Calle de
Paseo de Castellana
Calle de serrano
Velãzquez
C. de Goya
Plaza de Colón
PL. ESPAÑA
Plaza de España
LA CARMENCITA
CASA GADES
Plaza de Cibeles
LA BARRACA
Paseo de Recoletos
RETIRO
Calle de
Alcala
LA CORRALADA
Calle de Alcala
Plaza de la Independencia
Calle de Menendez
Gran Via
LA BOLA
GRAN VÍA
PUERTA DEL SOL
Plaza de Oriente
CAMPO DEL MORO
Calle de Bailen
Paseo Virgen
C. de Segovia
Calle Mayor
Calle de Alcala
PASEO DEL PRADO
LA TRUCHA
LUARQUES
Plaza Mayor
Plaza de Canovas del Castillo
Calle de Alfonso
PARQUE DEL RETIRO
Calle de Atocha
A. MARTIN
C. de Toledo
Plaza de San Francisco

Bon marché

LA TRUCHA Nuñez de Arce 6.
M° : Sevilla, Antón Martín.
● Fermé le dim. soir et en août.
Célèbre pour ses spécialités de poissons régionales. Essayez les « pescaitos fritos de Malaga ». *Clientèle bohème.*

LA BARRACA Reina 29. M° : Gran Via.
● Ouvert tous les jours.
Derrière une entrée sombre, vous découvrez un endroit intimiste et vieillot spécialisé dans la paella et les plats de riz traditionnels.

LUARQUES Ventura de la Vega. M° : Sevilla, Antón Martín.
● Fermé dim. soir, lun. et en août.
Dans ce restaurant toujours plein, aux tables serrées, un couple d'Asturiens prépare des spécialités régionales comme la fabada.

CASA GADES Conde de Xiguena 4. M° : Colón, Chueca.
● T.l.j. N'accepte pas les cartes de crédit.
Un des propriétaires de ce restaurant est le danseur et chorégraphe Antonio Gades. On y sert des pizzas, des pâtes, des steaks et des salades à des prix raisonnables. Clientèle à la mode qui vient pour voir et être vue.

LA CARMENCITA Libertad 16. M° : Chueca.
● T.l.j.
Bon restaurant qui propose une cuisine traditionnelle.

LA CORRALADA Villanueva 21. M° : Retiro.
● Fermé le dim. et en août.
Cuisine espagnole simple et de qualité. Des hommes politiques et des journalistes se mêlent habituellement à une clientèle locale animée.

LA BOLA Bola 5. M° : Santo Domingo.
● Fermé dim. et sam. soir en été. N'accepte pas les cartes de crédit.
On se croirait dans une taverne du XIXe siècle. Nous y recommandons le cocido a la madrilena.

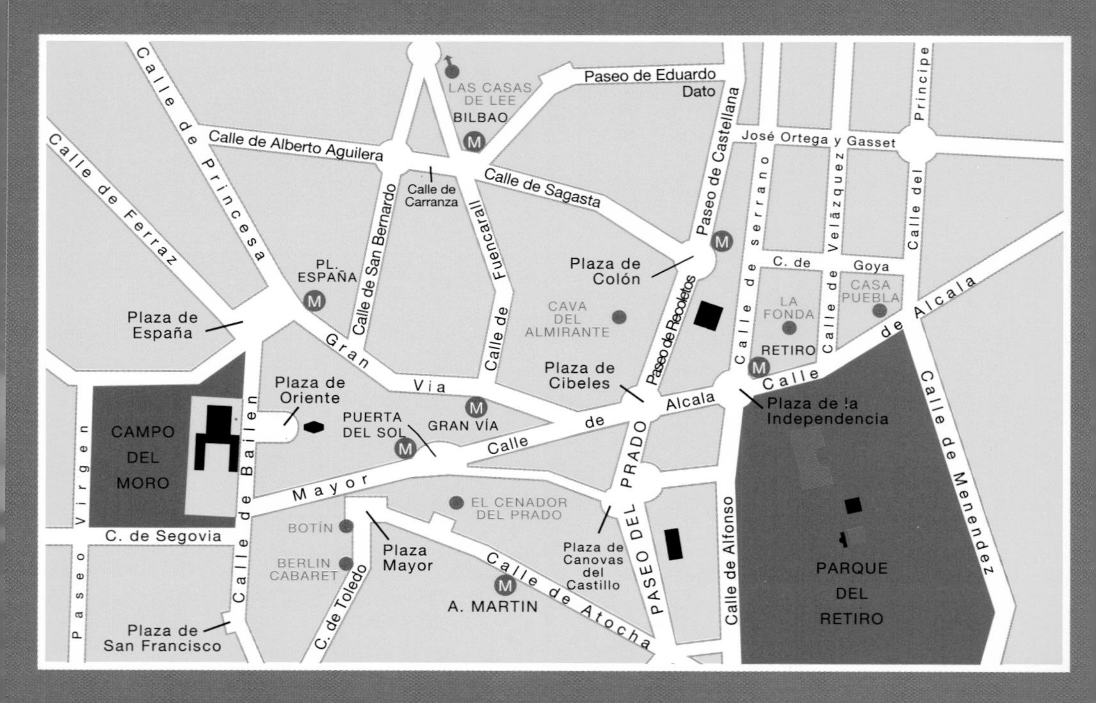

Calle de Princesa
Calle de Ferraz
LAS CASAS
DE LEE
BILBAO
Paseo de Eduardo
Dato
Calle de Alberto Aguilera
Calle de Carranza
Calle de Sagasta
Paseo de Castellana
José Ortega y Gasset
Principe
Calle del
Calle de Serrano
Calle de Velázquez
C. de Goya
CASA
PUEBLA
LA
FONDA
RETIRO
Plaza de
Colón
Paseo de Recoletos
PL.
ESPAÑA
Calle de San Bernardo
Calle de Fuencarall
CAVA
DEL
ALMIRANTE
Plaza de
España
Gran Via
Plaza de
Cibeles
Calle de Alcala
Plaza de la
Independencia
Calle de Menendez
Plaza de
Oriente
PUERTA
DEL SOL
GRAN VÍA
CAMPO
DEL
MORO
Calle de Bailen
Virgen
Mayor
PRADO
EL CENADOR
DEL PRADO
C. de Segovia
BOTÍN
BERLIN
CABARET
Plaza
Mayor
Calle de Atocha
Plaza de
Canovas
del
Castillo
PASEO DEL PRADO
Calle de Alfonso
PARQUE
DEL
RETIRO
Paseo
Plaza de
San Francisco
C. de Toledo
A. MARTIN

Prix moyens

CASA PUEBLA Príncipe de Vergara 6. M° : Príncipe de Vergara.
● Fermé dim., j. fériés et sam. en été. ■ Prix modérés.
On y sert une cuisine familiale à une clientèle locale pourvue d'un bon appétit. Plusieurs restaurants de quartiers portent le même nom.

EL CENADOR DEL PRADO Prado 4. M° : Antón Martín.
● Fermé sam. midi et dim. ■ Prix moyens.
La nouvelle cuisine espagnole dans un décor élégant ; service soigné.

BOTÍN Cuchilleros 17. M° : Sol.
● Fermé la veille de Noël. ■ Prix moyens
Cochons de lait et agneau rôtis sortent d'un four qui fonctionne depuis 26 ans. Dans ce grand restaurant animé, on rencontre aujourd'hui surtout des touristes. Chaude ambiance.

CAVA DEL ALMIRANTE Almirante 11. M° : Banco, Chueca.
● Fermé le lun. ■ Prix moyens.
Un décor kitsch, une clientèle d'avant-garde et un service relax dans ce restaurant où l'on trouvera de petits plats, de bonnes viandes, des pâtisseries et un bon choix de vins de Penedes.

LA FONDA Lagasca 11. M° : Retiro.
● Fermé le dimanche. ■ Prix moyens.
Très joli cadre et service efficace dans ce restaurant qui vous propose ses spécialités catalanes ; bon choix de vins.

LAS CASAS DE LEE General Margallo 26 ou San Felipe 4.
M° : Tetuán
● T.l.j. ■ Prix modérés.
Si vous êtes dans la partie moderne de la ville, ces restaurants sans prétention servent une cuisine chinoise internationale peu chère.

BERLIN CABARET Costanilla de San Pedro 11. M° : La Latina.
● Le soir jusqu'à 4h du matin. ■ Assez cher.
Spectacle de cabaret et bonne cuisine espagnole.

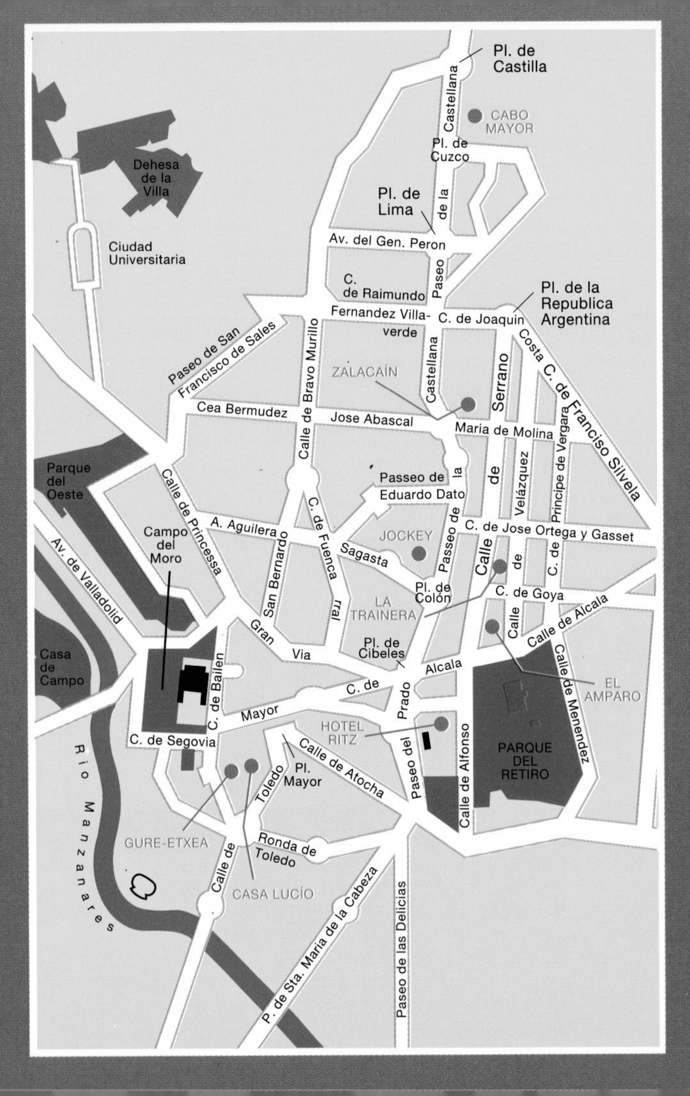

Pl. de Castilla
Castellana
CABO MAYOR
Pl. de Cuzco
Dehesa de la Villa
Pl. de Lima
de la
Ciudad Universitaria
Av. del Gen. Peron
C. de Raimundo
Paseo
Pl. de la Republica Argentina
Fernandez Villa-verde
C. de Joaquin
Costa
Paseo de San Francisco de Sales
Calle de Bravo Murillo
ZALACAÍN
Castellana
Serrano
C. de Francisco Silvela
Cea Bermudez
Jose Abascal
Maria de Molina
Parque del Oeste
Calle de Princessa
Passeo de Eduardo Dato
la
de
Velázquez
Principe de Vergara
Campo del Moro
A. Aguilera
C. de Fuenca
C. de Jose Ortega y Gasset
Av. de Valladolid
JOCKEY
Sagasta
Passeo de
Calle
de
C. de
San Bernardo
rral
Pl. de Colón
C. de Goya
LA TRAINERA
Gran
Via
Pl. de Cibeles
Calle
Calle de Alcala
Casa de Campo
C. de Bailen
Alcala
C. de
Calle de Menendez
EL AMPARO
Mayor
Prado
HOTEL RITZ
C. de Segovia
Calle de Atocha
Pl. Mayor
Toledo
Paseo del
Calle de Alfonso
PARQUE DEL RETIRO
Rio Manzanares
GURE-ETXEA
Ronda de Toledo
Calle de
CASA LUCÍO
P. de Sta. Maria de la Cabeza
Paseo de las Delicias

GURE-ETXEA Plaza de la Paja 12. M° : La Latina.
● Fermé dim. et août. ■ Prix moyens.
Excellente cuisine basque, préparée selon la tradition. Sympathique.

LA TRAINERA Lagasca 60. M° : Serrano.
● Fermé dim. et août. ■ Prix moyens ; cartes de crédit non acceptées.
Très fréquenté par les touristes, ce restaurant est sans doute le meilleur pour les fruits de mer.

ZALACAÍN Alvarez Baena 4.
● Fermé sam. midi, dim., semaine de Pâques et août. ■ Cher.
10 000 à 12 000 PTA par personne (trois plats plus le vin).
La cuisine et le service sont à la hauteur de ce restaurant considéré comme le meilleur d'Espagne et qui peut soutenir la comparaison (en moins cher) avec les meilleurs restaurants du monde.

CABO MAYOR Juan Hurtado de Mendoza 13. M° : Cuzco.
● Fermé dim., à Pâques, à Noël et du 15 au 30 août. ■ Cher.
Dans un décor marin, une cuisine imaginative spécialisée dans les fruits de mer et les poissons.

EL AMPARO Callejon de Puigcerdá 18 (près de Jorge Juan).
M° : Serrano.
● Fermé sam. midi, dim., à Pâques et en août. ■ Cher.
Une nouvelle cuisine originale servie dans trois pièces élégantes et chaleureuses d'une ancienne maison particulière.

JOCKEY Amador de los Ríos 6. M° : Colón.
● Fermé dim., j. fériés, août. ■ Cher.
Luxueux ; excellente cuisine classique espagnole.

CASA LUCÍO Cava Baja 35. M° : La Latina.
● Fermé le sam. midi. ■ Cher.
Excellent restaurant qui sert des spécialités castillanes.

HOTEL RITZ Plaza de la Lealtad 5. M° : Banco.
● T.l.j. ■ Cher.
Un jeune chef français propose des créations imaginatives pour un repas mémorable servi dans une grande salle à manger avec vue sur le jardin.

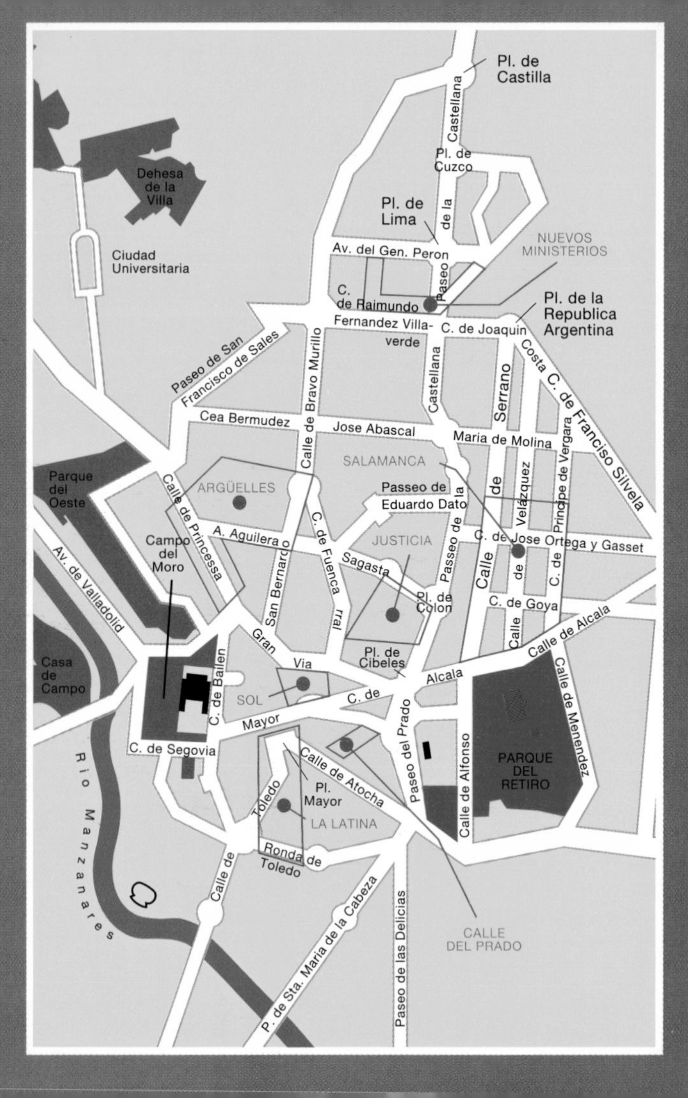

Pl. de
Castilla
Castellana
Pl. de
Cuzco
de la
Paseo
Dehesa
de la
Villa
Pl. de
Lima
NUEVOS
MINISTERIOS
Av. del Gen. Peron
Ciudad
Universitaria
C.
de Raimundo
Pl. de la
Republica
Argentina
Fernandez Villa-
verde
C. de Joaquin
Costa
C. de Francisco Silvela
Paseo de San
Francisco de Sales
Calle de Bravo Murillo
Castellana
Serrano
Cea Bermudez
Jose Abascal
Maria de Molina
SALAMANCA
Parque
del
Oeste
ARGÜELLES
Passeo de
Eduardo Dato
Calle de Princessa
de
Velázquez
Principe de Vergara
Campo
del
Moro
A. Aguilera
C. de Fuenca
rral
JUSTICIA
Paseo de la
C. de Jose Ortega y Gasset
Av. de Valladolid
San Bernardo
Sagasta
Calle
de
C. de
Pl. de
Colon
C. de Goya
Gran
Via
Pl. de
Cibeles
Calle
Calle de Alcala
Casa
de
Campo
C. de Bailen
SOL
Alcala
C. de
Mayor
Calle de Menendez
C. de Segovia
Paseo del Prado
Calle de Alfonso
PARQUE
DEL
RETIRO
Rio Manzanares
Calle de Atocha
Pl.
Mayor
Toledo
LA LATINA
Ronda de
Toledo
Calle de
P. de Sta. Maria de la Cabeza
Paseo de las Delicias
CALLE
DEL PRADO

Quartiers

SALAMANCA M° : Retiro, Serrano, Velázquez, Goya.
Dans ce quartier commerçant, le plus prestigieux de Madrid, on retrouve un peu l'atmosphère de Knightsbridge ou de la rue Saint-Honoré. La mode femmes, hommes et enfants, la maroquinerie et les accessoires, les bijoux, cadeaux, articles de design et antiquités sont concentrés dans les rues (parallèles) Serrano, Claudio, Coello, Lagasca et Velásquez, et dans les petites rues qui les relient comme Columela, Conde de Aranda, Jorge Juan, Goya, Ayala et Ortega y Gasset.

JUSTICIA M° : Chueca, Colón.
Des boutiques de mode et de design ont fleuri le long des rues Almirante, Conde de Xiquena, Argensola et une demi-douzaine d'autres rues de ce quartier dense. Vous y trouverez la production de jeunes créateurs espagnols.

ARGÜELLES M° : Argüelles, Ventura Rodriguez, Plaza de Espana.
Quelques bonnes boutiques de mode et autres le long des rues Princesa (Multicentro au n° 47), Martin de los Heros et Gaztambide.

NUEVOS MINISTERIOS M° : Nuevos Ministerios.
Diverses boutiques dans Urbanizacíon Azca et, à proximité, dans la rue Orense ou le Paseo de la Habana.

SOL M° : Sol, Gran Vía, Callao.
Grands magasins El Corte Inglés et Galerías Preciados, reliés par des rues piétonnes commerçantes.

LA LATINA M° : La Latina.
A partir de la station de métro, remontez au nord vers la Calle Mayor ou descendez vers la Ronda de Toledo ; vous trouverez un dédale de rues où de petites boutiques vous proposeront des articles traditionnels.

CALLE DEL PRADO M° : Sol, Antón Martín.
La plus forte concentration de magasins d'antiquités.

PRÍNCIPE DE VERGARA M° : Núñez de Balboa.
La partie médiane de l'avenue réunit un grand nombre de magasins spécialisés dans le mobilier et les articles ménagers design.

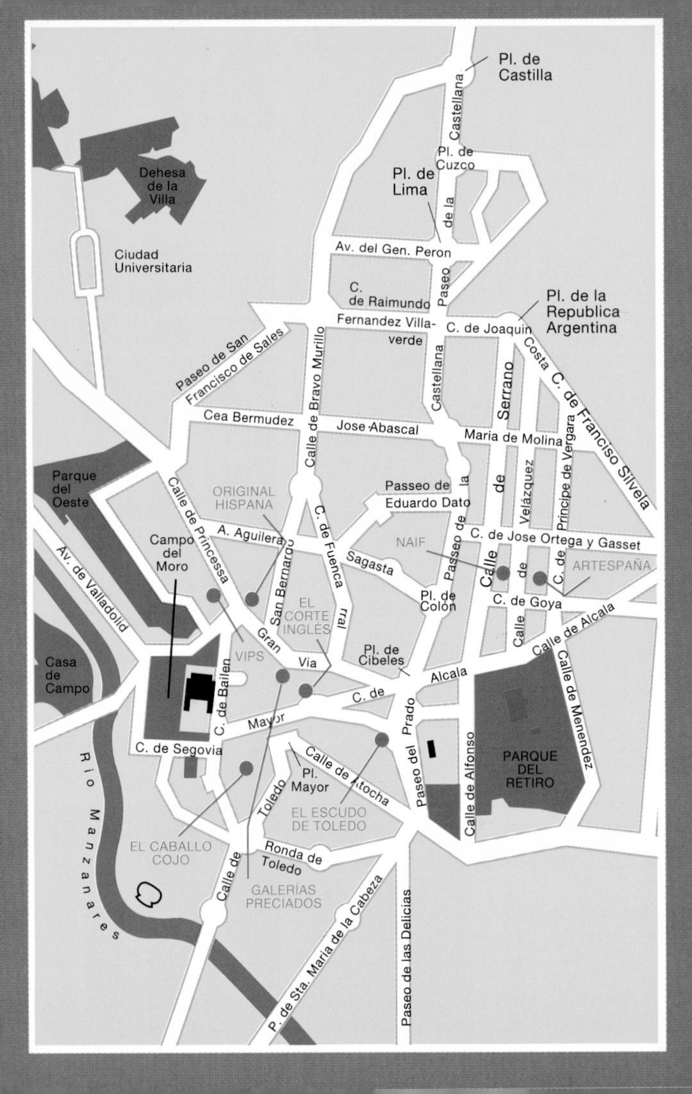

Pl. de Castilla
Castellana
Pl. de Cuzco
Pl. de Lima
de la
Dehesa de la Villa
Av. del Gen. Peron
Paseo
Ciudad Universitaria
C. de Raimundo
Fernandez Villa- verde
Pl. de la Republica Argentina
C. de Joaquin
Costa
C. de Francisco Silvela
Paseo de San Francisco de Sales
Calle de Bravo Murillo
Castellana
Serrano
Cea Bermudez
Jose Abascal
Maria de Molina
Principe de Vergara
Velázquez
de
Parque del Oeste
Calle de Princessa
ORIGINAL HISPANA
Passeo de Eduardo Dato
la
C. de Fuenca
rral
Paseo de
C. de Jose Ortega y Gasset
A. Aguilera
Campo del Moro
San Bernardo
NAIF
Calle
de
C. de
ARTESPAÑA
Av. de Valladolid
Sagasta
EL CORTE INGLÉS
Pl. de Colón
C. de Goya
Calle
Gran
Via
VIPS
Pl. de Cibeles
Calle de Alcala
Casa de Campo
C. de Bailen
C. de
Alcala
Calle de Menendez
Mayor
Prado
C. de Segovia
Paseo del
Calle de Alfonso
PARQUE DEL RETIRO
Calle de Atocha
Pl. Mayor
Toledo
Río Manzanares
EL ESCUDO DE TOLEDO
EL CABALLO COJO
Ronda de Toledo
Calle de
GALERÍAS PRECIADOS
P. de Sta. Maria de la Cabeza
Paseo de las Delicias

Cadeaux

EL CORTE INGLÉS Preciados 3 ; Princesa 56 ; Goya 76 ; Urbanizacíon Azca.
● Lun.-sam. : 9h-20h
Grand magasin, plutôt haut de gamme, proposant également toutes sortes de prestations : interprètes, change, agence de voyages, livraison, expédition.

GALERÍAS PRECIADOS Plaza Callao ; Arapiles 10-11 ; Serrano 47 ; Goya 87.
● Lun.-sam. : 9h-20.
Autre grand magasin, proposant les mêmes services que le précédent mais avec un choix d'articles généralement moins chers.

VIPS Princesa 5, Velázquez 78, Velázquez 136, Paseo de Habana 17, Julián Romea 4, Alberto Aguilero.
Drugstore bien approvisionné et ouvert tard le soir. Restauration rapide.

ARTESPAÑA Hermosilla 14, Ramón de la Cruz 33, Plaza de las Cortes 3. Centro comercial La Vaguada.
*Chaîne d'*artesanías *gérée par l'Etat ; articles traditionnels de qualité en provenance de toute l'Espagne.*

EL CABALLO COJO Costanilla de San Pedro 7. M° Segovia.
Artisanat populaire, ancien ou moderne.

EL ESCUDO DE TOLEDO Plaza Cánovas del Castillo.
Artesanía *; grand choix d'articles, surtout en provenance de Tolède.*

ORIGINAL HISPANA Maestro Guerrero 1.
Essentiellement de la céramique (bon choix de porcelaine de LLadró).

NAIF Ayala 27.
Grand choix d'articles, souvent insolites. Idéal pour les cadeaux.

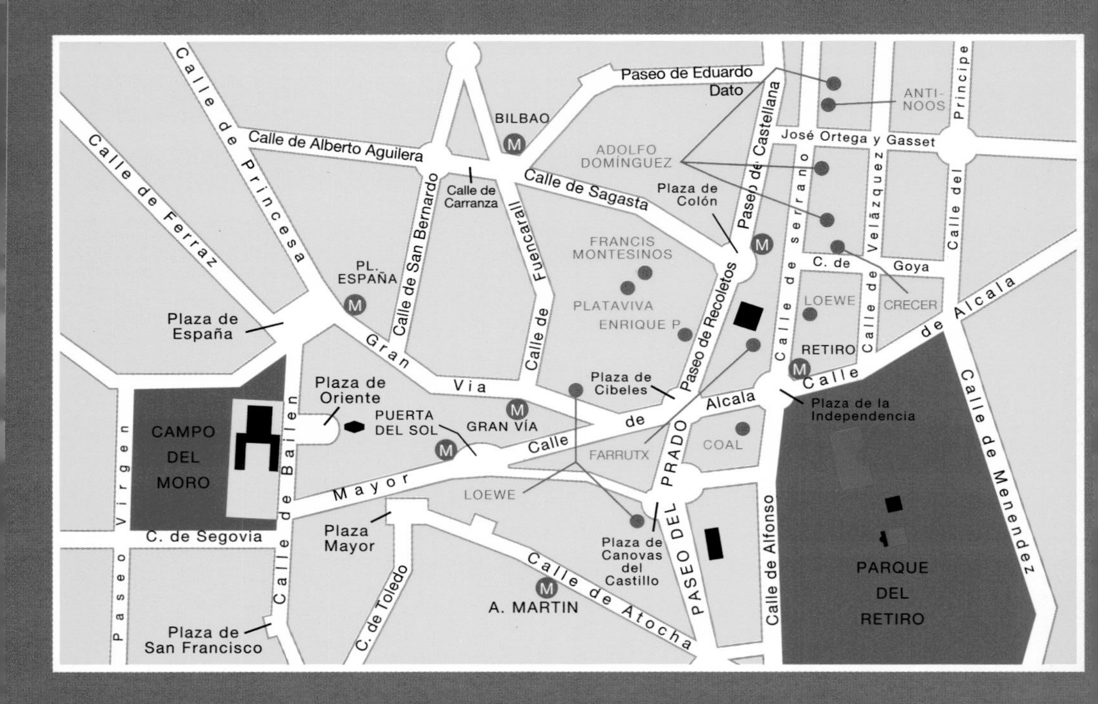

Calle de Princesa
Calle de Ferraz
Calle de Alberto Aguilera
BILBAO
Paseo de Eduardo Dato
ANTI-NOOS
Calle del Principe
José Ortega y Gasset
ADOLFO DOMÍNGUEZ
Calle de Carranza
Calle de Sagasta
Plaza de Colón
Paseo de Castellana
Calle de Serrano
Velázquez
C. de Goya
Calle de Fuencarral
FRANCIS MONTESINOS
PLATAVIVA
ENRIQUE P.
Calle de San Bernardo
PL. ESPAÑA
Plaza de España
Gran Via
Paseo de Recoletos
LOEWE
CRECER
Calle de
RETIRO
Calle de Alcala
Plaza de Cibeles
Plaza de la Independencia
Plaza de Oriente
PUERTA DEL SOL
GRAN VÍA
Calle de Alcala
COAL
FARRUTX
PASEO DEL PRADO
CAMPO DEL MORO
Calle de Bailen
Paseo Virgen
Mayor
LOEWE
C. de Segovia
Plaza Mayor
Plaza de Canovas del Castillo
Calle de Alfonso
PARQUE DEL RETIRO
Calle de Menendez
Calle de Atocha
A. MARTIN
C. de Toledo
Plaza de San Francisco

Habillement

ADOLFO DOMÍNGUEZ Serrano 96, Ayala 24, Ortega y Grasset 4.
Créations pour hommes et femmes par la star de la mode espagnole.

LOEWE Serrano 26, Gran Vía 8, Hotel Palace.
Vêtements élégants et sages pour hommes et femmes, mais aussi maroquinerie, chaussures et parfums.

ENRIQUE P Almirante 6.
Bon choix d'articles de qualité. Dans cette même rue, vous pourrez vous arrêter aussi chez Jesús del Pozo (16), Ararat (10) et Pedro Morago (20).

FRANCIS MONTESINOS Argensola 8
Vêtements pleins d'imagination par ce roi valencien du défilé de mode.

COAL Valenzuala 9.
Créations pour femmes des meilleurs couturiers, tels Antonio Miró, Manuel Piña et Antonio Alvarado.

ANTINOOS Padilla 1 (à l'angle de la rue Serrano), Orense 12.
Boutiques pour hommes. Les dernières créations, mais aussi des vêtements, chaussures et accessoires classiques.

CRECER Hermosilla 16.
Toute la mode pour enfants.

FARRUTX Serrano 7.
Très grand choix de chaussures à tous les prix.

PLATAVIVA Argensola 2.
Bijoux et accessoires des meilleurs créateurs espagnols, comme Ramón Oriol, Chelo Sastre, Joaquín Berao (qui a sa propre boutique Conde de Xiquena 13).

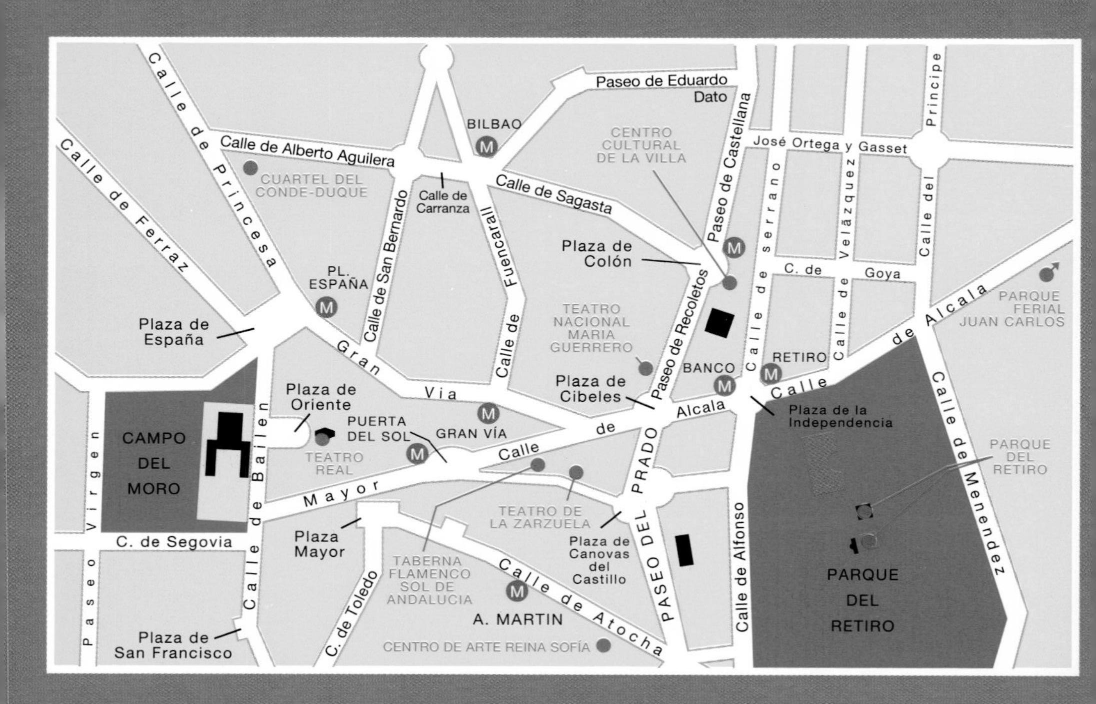
Calle de Princesa
Calle de Ferraz
Calle de Alberto Aguilera
CUARTEL DEL CONDE-DUQUE
Calle de San Bernardo
Calle de Carranza
BILBAO
Paseo de Eduardo Dato
Calle de Sagasta
Calle de Fuencarral
CENTRO CULTURAL DE LA VILLA
Paseo de Castellana
José Ortega y Gasset
Calle del Principe
PL. ESPAÑA
Plaza de España
Plaza de Colón
Paseo de Recoletos
TEATRO NACIONAL MARIA GUERRERO
Calle de Serrano
C. de Goya
Calle de Velãzquez
PARQUE FERIAL JUAN CARLOS
Gran Via
Plaza de Oriente
PUERTA DEL SOL
GRAN VÍA
TEATRO REAL
BANCO
RETIRO
Plaza de Cibeles
Calle de Alcala
Plaza de la Independencia
CAMPO DEL MORO
Calle de Bailen
Calle Mayor
PARQUE DEL RETIRO
Calle de Menendez
Paseo Virgen
C. de Segovia
Plaza Mayor
TEATRO DE LA ZARZUELA
Plaza de Canovas del Castillo
PASEO DEL PRADO
Calle de Alfonso
TABERNA FLAMENCO SOL DE ANDALUCIA
C. de Toledo
Calle de Atocha
A. MARTIN
Plaza de San Francisco
CENTRO DE ARTE REINA SOFÍA
PARQUE DEL RETIRO

CENTRO CULTURAL DE LA VILLA Plaza de Colón.
M° : Colón.
Centre d'art municipal où se tiennent expositions, concerts, pièces de théâtre, récitals de poésie, spectacles pour enfants.

CENTRO DE ARTE REINA SOFIÁ Santa Isabel 52 (en face de la gare d'Atocha). M° : Atocha, Antón Martín.
Le « Beaubourg » de Madrid (voir **MUSÉES 3***). Donne régulièrement des concerts et spectacles.*

PARQUE DEL RETIRO M° : Retiro.
Palacio de Exposiciones et Palacio de Cristal. Expositions et spectacles en plein air.

TEATRO REAL Plaza Isabel II. M° : Opera.
Principale salle de concert de Madrid jusqu'à récemment, ce bâtiment, construit en 1850, a retrouvé sa vocation première d'opéra.

TEATRO DE LA ZARZUELA Jovellanos 4. M° : Sevilla.
Accueille les saisons d'opéra.

TABERNA FLAMENCO SOL DE ANDALUCIA Echegaray 19.
M° : Sevilla.
Cet établissement offre des spectacles de flamenco. Mieux vaut réserver.

TEATRO NACIONAL MARIA GUERRERO
Tamayo y Baus 4. M° : Colón, Chueca, Banco.
Siège du Centro Dramático Nacional, qui donne des pièces classiques et contemporaines.

CUARTEL DEL CONDE* DUQUE
Conde Duque 9. M° : Ventura Rodriguez.
Caserne royale du XVIIIe siècle, devenue le grand rendez-vous pour le théâtre, les concerts et les expositions.

PARQUE FERIAL JUAN CARLOS
Carretera de Barcelona (près de l'aéroport de Barajas).
Le centre d'expositions et de foires d'art, le plus grand et le plus récent de Madrid (2e semaine de février, ARCO, foire d'art).

PLAZA MONUMENTAL Calle Alcalá 237.
M° : Ventas.
Le haut-lieu des corridas, à Madrid. Les billets sont vendus sur la place le jour de la corrida. Voir corridas*.*

ESTADIO SANTIAGO BERNABEU Concha Espinal.
M° : Lima.
● Sept.-mai.
C'est le territoire du Real Madrid Fútbol Club. Contient 125 000 places.

ESTADIO VICENTE CALDERON Paseo de la Virgen del Puerto 6.
M° : Piramides.
Stade d'athlétisme de Madrid. Peut accueillir 70 000 spectateurs.

FRONTÓN DE MADRID Doctor Cortezo 10. M° : Tirso de Molina.
● Lun.-sam. : 18h.
Parier est presque aussi excitant que regarder ce jeu de pelote basque, rude et rapide.

PALACIO DE LOS DEPORTES Avenida de Felipe II. M° : Goya.
Un des nombreux complexes multisports. Celui-ci, assez central, accueille souvent les grandes rencontres de basket-ball.

HIPODROMO DE LA ZARZUELA Carretera de La Coruña
● Fermé en été. Pour le programme des manifestations, consultez la presse.
Courses de chevaux et spectacles équestres.

EL LAGO Avenida de Valladolid (au Puente de los Franceses).
M° : Moncloa (ensuite, traversez à pied le Parque del Oeste).
Une des bonnes piscines de la ville la plus centrale, et complexe sportif pour les étudiants.

COMPLEJO DEPORTIVO SOMONTES
Carretera de El Pardo (3-4 km de Madrid).
Centre sportif en dehors de la ville.

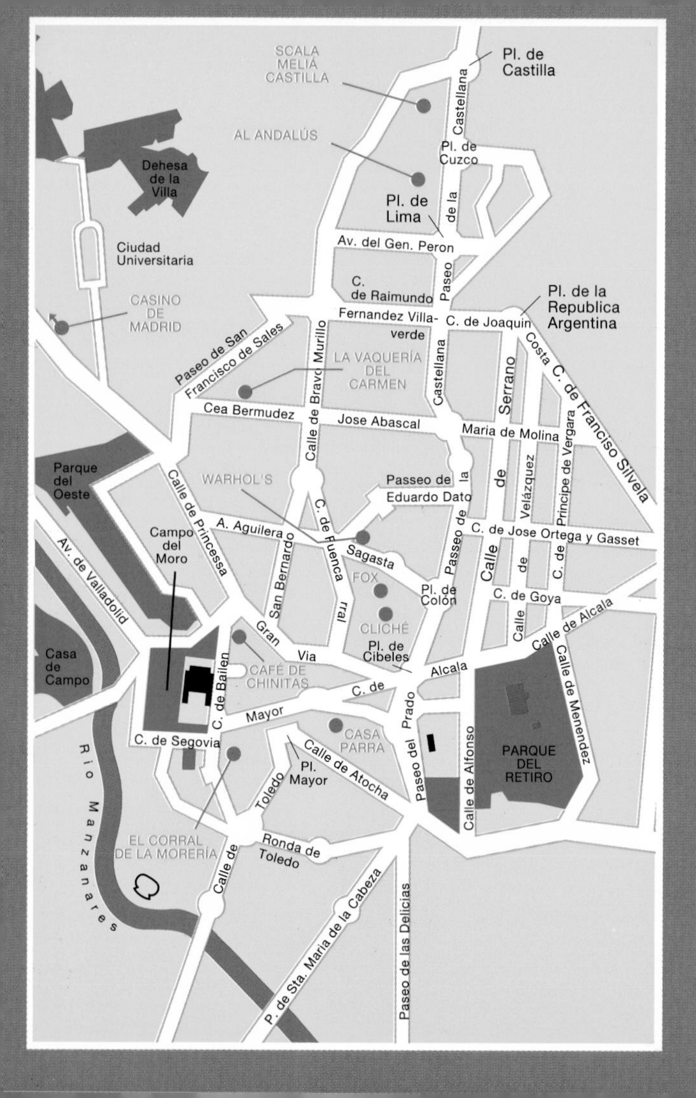
SCALA MELIÁ CASTILLA
Pl. de Castilla
Castellana
AL ANDALÚS
Pl. de Cuzco
Dehesa de la Villa
Pl. de Lima
de la
Ciudad Universitaria
Av. del Gen. Peron
Paseo
C. de Raimundo
CASINO DE MADRID
Pl. de la Republica Argentina
Fernandez Villaverde
C. de Joaquin
Costa
Paseo de San Francisco de Sales
Calle de Bravo Murillo
LA VAQUERÍA DEL CARMEN
Castellana
Calle de Serrano
C. de Francisco Silvela
Cea Bermudez
Jose Abascal
Maria de Molina
Principe de Vergara
Parque del Oeste
WARHOL'S
Passeo de Eduardo Dato
Velázquez
Calle de Princessa
C. de Fuenca rral
Paseo de la
C. de Jose Ortega y Gasset
A. Aguilera
Campo del Moro
Sagasta
Av. de Valladolid
San Bernardo
FOX
Pl. de Colón
C. de Goya
Gran Via
CLICHÉ
Calle de Alcala
Casa de Campo
Pl. de Cibeles
C. de Bailen
CAFÉ DE CHINITAS
Alcala
C. de
Mayor
Prado
Calle de Menendez
C. de Segovia
CASA PARRA
Rio Manzanares
Calle de Atocha
Pl. Mayor
Paseo del
Calle de Alfonso
PARQUE DEL RETIRO
Toledo
EL CORRAL DE LA MORERÍA
Ronda de Toledo
Calle de
P. de Sta. Maria de la Cabeza
Paseo de las Delicias

Divers

CASA PARRA Echegaray 16
Bar grill-room, bien connu des résidents étrangers à Madrid et à proximité de la majorité des restaurants abordables de la ville.

CLICHÉ Barquillo 29
Un des nombreux bars chics du quartier. Un must pour la haute société.

FOX Hortaleza 118
Le bar favori d'une société à la mode.

WARHOL'S Luchana 20
Bonne musique et, comme le laisse entendre le nom, décor pop art new-yorkais.

LA VAQUERÍA DEL CARMEN Avenida de Filipinas 1
Dans ce lieu grandiose, digne d'un décor hollywoodien des années 50, se retrouve une foule bigarrée de tous âges.

SCALA MELIÁ CASTILLA Capitán Haya 43
Le meilleur spectacle de cabaret de la ville. Avec ou sans dîner.

CASINO DE MADRID Ctra la Coruña (à 28 km). Bus Plaza de España 6.
Enorme casino : jeux de toutes sortes, bars, trois bons restaurants et un cabaret international.

CAFÉ DE CHINITAS Torija 17
Le lieu du spectacle de flamenco le plus fameux de Madrid. Celui-ci est central. Le dîner (vers 22h) est quelconque, mais permet habituellement d'avoir de meilleures places pour le spectacle, qui commence vers 23h.

EL CORRAL DE LA MORERÍA Morería 17.
Un lieu renommé qui rassemble Madrilènes et touristes. Le célèbre film La Comtesse aux pieds nus, *avec H. Bogart et A. Gardner, y a été tourné.*

AL ANDALÚS Capitan Haya 19
Autre endroit privilégié pour entrer dans une danse tourbillonnante (flamenco).

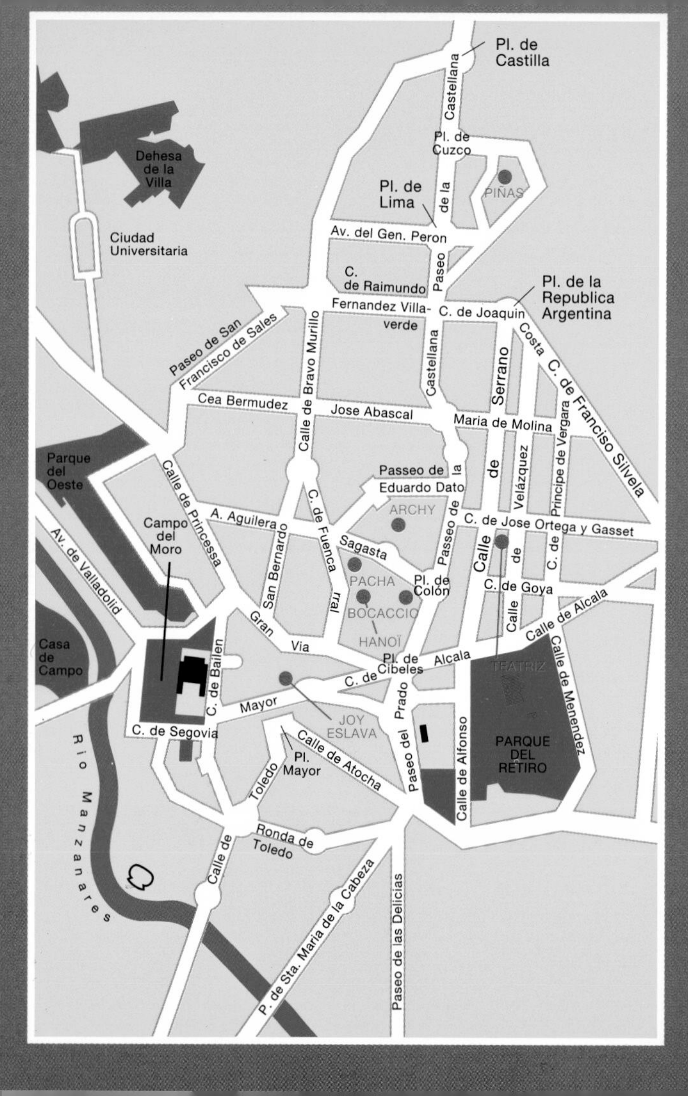

Pl. de Castilla
Castellana
Pl. de Cuzco
Dehesa de la Villa
PIÑAS
Pl. de Lima
de la
Ciudad Universitaria
Av. del Gen. Peron
Paseo
C. de Raimundo
Pl. de la Republica Argentina
Fernandez Villa-verde
C. de Joaquin
Costa
Paseo de San Francisco de Sales
Calle de Bravo Murillo
Castellana
Serrano
C. de Francisco Silvela
Cea Bermudez
Jose Abascal
Maria de Molina
Principe de Vergara
Parque del Oeste
Passeo de Eduardo Dato
la
de
Velázquez
Calle de Princessa
ARCHY
Campo del Moro
A. Aguilera
C. de Fuenca
rral
Paseo de
C. de Jose Ortega y Gasset
Av. de Valladolid
Sagasta
Calle
de
C. de
San Bernardo
PACHA
Pl. de Colón
C. de Goya
BOCACCIO
Calle
Gran Via
HANOÏ
Calle de Alcala
Casa de Campo
C. de Bailen
Pl. de Cibeles
Alcala
TEATRIZ
C. de
Calle de Menendez
Mayor
Prado
JOY ESLAVA
C. de Segovia
Paseo del
Calle de Alfonso
PARQUE DEL RETIRO
Rio Manzanares
Pl. Mayor
Calle de Atocha
Toledo
Calle de
Ronda de Toledo
P. de Sta. Maria de la Cabeza
Paseo de las Delicias

Discothèques

Aspect essentiel de la vie nocturne à Madrid. Les discothèques commencent à s'animer après minuit. Elles sont bon marché par rapport à celles de beaucoup d'autres pays, mais il faut réussir l'examen de passage du portier. Certains endroits de moda *un jour peuvent être* pasado de moda *le mois suivant. En voici quelques-unes, nouvelles ou consacrées.*

BOCACCIO Marqués de la Ensenada 16
En près de 20 ans d'existence, cette discothèque est devenue un classique des noctambules branchés de tous âges.

JOY ESLAVA Arenal 11
Luxueux défilé de mode tous les soirs et lieu de rendez-vous du beau monde. Un air d'argent et de succès ; il y a ceux qui en ont et ceux qui meurent d'envie d'en avoir. Excellents jeux de lumière.

PACHA Barceló 11
Ambiance comparable à celle de Joy, mais plus jeune.

PIÑAS Avenida Alberto Alcocer 33
Petite discothèque fréquentée par des gens plus âgés et plus mûrs. Un bon choix dans un quartier moderne de la ville.

ARCHY Marqués de Riscal 11
Portiers très sélectifs. Le rendez-vous de la haute société, avec des ambiances différentes suivant les salles.

TEATRIZ Hermosilla 15
Cette nouvelle discothèque, au design surprenant, vaut la peine d'être vue même si les boissons sont très chères.

HANOÏ Hortaleza 91
Rassemble la même « faune » que Archy. C'est l'une des plus célèbres discothèques de Madrid. Restaurant.

TOUR-OPERATEURS ET AGENCES

Julia Tours, Gran Vía 68. M° : Plaza de España. **Pullmantur**, Plaza de Oriente, 8. M° : Opera. **Trapsatur**, San Bernardo 23. M° : Noviciado.
Proposent des excursions et des tarifs similaires. Ci-dessous, quelques exemples d'excursions organisées par ces compagnies. Réservez par leur intermédiaire, à votre hôtel ou dans une agence de voyages. Les itinéraires p euvent changer. Les hommes doivent porter une veste et une cravate pour les excursions nocturnes. Départ de ces excursions à l'adresse des tour-opérateurs.

CIRCUIT PANORAMIQUE

● T.l.j. : départ à 15h.
Les principales avenues et curiosités de Madrid. Vivement recommandé ; c'est un bon moyen pour se faire une idée de la ville.

LE MADRID ARTISTIQUE

● T.l.j. : départ à 9h30.
Visite du Palais royal et du musée du Prado. (Pas de visite au Prado* le lundi, ni au Palais royal lorsqu'une manifestation officielle s'y déroule.)*

CORRIDA ET CIRCUIT PANORAMIQUE

● Dim. et jours des corridas : après-midi (mai-oct.). Réservation à l'avance indispensable.
Départ 2 heures avant la corrida (voir corridas) pour une promenade en ville.*

FLAMENCO

● T.l.j. (sauf dim.) : départ 20h. Retour vers 1h30. Pullmantur 2015.
Promenade le long des principales avenues et devant les fontaines illuminées suivie d'un spectacle de flamenco.

SCALA MELIÁ

● T.l.j. (sauf dim.) : départ 20h, retour vers 1h.
Illuminations, puis dîner et spectacle dans le meilleur cabaret de Madrid. Réserver à l'avance.

CINE
AVIS
KING
V 8502 CN
BU 3974 H

Gran Via

Alcalá. Cette large avenue, qui s'étend de la Puerta del Sol jusqu'aux arènes de Las Ventas au nord-est de Madrid, est bordée par de nombreux sièges bancaires jusqu'à la Plaza de Cibeles. Sur la Plaza de la Independencia se dresse la Puerta de Alcalá, porte de granite de style néoclassique réalisée par Sabatini pour Charles III en 1778.

Almudena (Catedral). Construite à l'emplacement d'une église du IXe siècle, elle fait face au Palacio Real*, sur la Plaza de la Armería. La construction de ce qui devait être la cathédrale officielle de Madrid débuta en 1883. Les travaux s'arrêtèrent en 1940 pour reprendre il y a quelques années seulement. Son plan associe le style gothique à des éléments classiques.

Aranjuez. A 47 kilomètres au sud de Madrid, cette petite ville attrayante, construite sur les rives fertiles du Tage, est très populaire auprès des Madrilènes et des touristes qui s'y rendent pour des excursions d'une journée. Philippe II entreprit la construction du Palais royal en 1560, mais celui-ci est, en fait, une réalisation des Bourbons aux XVIIIe et XIXe siècles. Le palais conjugue le style Renaissance et le style baroque. Sa décoration et son mobilier sont d'une grande richesse, mais la curiosité la plus remarquable est la pièce aux murs entièrement recouverts de porcelaine de la manufacture de Buen Retiro. Dans les magnifiques jardins à la française (le jardin del Príncipe), se dresse un petit palais rococo, la Casita del Labrador, construit pour Charles IV en 1803. Un petit musée abrite une collection d'embarcations royales.
T.l.j. 10h-13h, 16h-19h. Trains au départ d'Atocha. Voir EXCURSIONS.

Arènes. Voir SPORTS, corridas*.

Armería (Museo). Ce musée, qui se trouve dans le Palacio Real*, présente des armes et des armures (notamment celles de Charles Quint et de Philippe II), les épées de Cortés et Pizarro ainsi que des étendards.

Arqueológico (Nacional Museo). Serrano 13. M° : Serrano. Ce musée abrite la collection archéologique la plus complète de toute

Dama de Elche

l'Espagne, de la préhistoire à la Renaissance. A l'extérieur se trouve une copie des grottes d'Altamira (Cantabrie) qui possèdent quelques-unes des plus belles peintures rupestres au monde. D'autres objets préhistoriques proviennent de l'Espagne et du reste du bassin méditerranéen. L'influence des premières cultures méditerranéennes apparaît clairement dans l'art du peuple ibérien, période qui a donné au musée son plus grand trésor, l'imposante *Dama del Elche* (sculpture du IIIe ou IVe siècle av. J.-C.), mais aussi la *Dama de Baza* et la *Dama del Cerro de los Santos*. La collection de mosaïques est l'élément le plus intéressant de la période romaine. Le trésor de Guarrazar, ensemble impressionnant d'objets en or incrustés de joyaux provenant de Tolède, est caractéristique de la période wisigothe. L'art musulman (du VIIIe au XVe siècle) est représenté par de la poterie , des ouvrages en métal et en stuc, des sculptures et quelques splendides coffrets en ivoire. La Renaissance marque le début de l'influence italienne, que l'on observe dans les collections de bronzes et de mobilier, dans les céramiques de Talavera, le cristal de La Granja et la porcelaine de Buen Retiro. Voir **MUSÉES 2.**

Áteneo. Fondé en 1820 pour être un lieu de recontre littéraire, artistique et scientifique, ce club a subi à plusieurs reprises la répression de gouvernements intolérants. De nombreux personnages illustres en furent membres.

Ávila. A environ 100 kilomètres au nord-ouest de Madrid, la plus importante capitale provinciale d'Espagne se dresse sur un promontoire qui s'avance au-dessus du rio Adaja, avec la sierra de Gredos en toile de fond. La ville possède de remarquables remparts médiévaux, toujours intacts, d'une hauteur moyenne de 10 m, qui entourent la vieille ville pleine de charme. Neuf portes et huit tours sont disséminées le long de ces 2,5 km de remparts dont on peut faire le tour par le chemin de ronde. Une cathédrale fortifiée et un Parador (hôtel) sont adossés aux remparts. Vous trouverez un grand nombre d'églises et de couvents associés à sainte Thérèse, carmélite mystique, partisane de la Réforme, née dans la ville en 1515. Ne manquez pas de goûter les délicates spécialités d'Ávila, les *Yemas de Santa Teresa* (à base de jaunes d'œufs sucrés). C'est à partir du mirador des Cuatro Postes (sur la route de Salamanque) que vous aurez la meilleure vue sur la ville. Trains au départ d'Atocha et Chamartin. Voir EXCURSIONS.

Ayuntamiento. Plaza de la Villa. M° : Sol. Appelé aussi Casa de la Villa. La construction de l'hôtel de ville débuta en 1630 et fut achevée 110 ans plus tard. Le bâtiment a été partiellement modifié au XVIIIe siècle. Le gardien vous autorisera peut-être à visiter les pièces principales.

Bourbons. Après la guerre de la Succession d'Espagne (1701-1714), le petit-fils de Louis XIV, Philippe V, fut proclamé officiellement premier roi d'Espagne de la dynastie des Bourbons. Puis lui succédèrent Ferdinand VI (1746-1759) et Charles III (1759-1788) à qui on donna le titre d'Alcalde (maire) pour le zèle qu'il mit à embellir Madrid. Charles IV (1788-1808), monarque indécis, était dirigé par sa femme, Maria Luisa, et son ministre, Manuel Godoy. Napoléon arrêta Charles et son fils pour placer son frère aîné, Joseph, sur le trône d'Espagne (Voir Dos de Mayo*). Ferdinand VII, libéré en 1814, relança la dynastie des Bourbons et régna en despote. Un point positif de son règne fut la création du musée du Prado*. A sa mort, en 1833, on se disputa le trône qui revenait à sa fille Isabelle II (Voir Guerres carlistes*). Le règne d'Alphone XII fut bref (1874-1885). Il mourut à vingt-huit ans et sa femme Marie-Christine fut nommée régente de son fils, qui devint roi en 1902 sous le nom d'Alphonse XIII. En 1923, Alphonse accepta que le général Miguel Primo de Rivera prenne les pouvoirs dictatoriaux. Quand les républicains remportèrent les élections municipales de 1931, Alphonse abdiqua. Voir Juan* Carlos.

Carruajes (Museo de). Il se trouve dans les jardins du Campo del Moro au Palacio Real* et présente une collection de carrosses utilisés par la famille royale et l'aristocratie d'Espagne.

Casa de Campo. Voir PARCS.

Casón del Buen Retiro. Construit au XVIIe siècle comme salle de

Les remparts d'Ávila

bal du palais Buen Retiro des Habsbourg, c'est aujourd'hui une annexe du musée du Prado. Le *Guernica* de Picasso et ses croquis préparatoires seront bientôt tranférés au Centro de Arte Reina Sofiá. Cette toile immense, aux tons subtils et aux images fortes, a été peinte pour le stand républicain à l'occasion de l'Exposition universelle de Paris en 1937. En 1981, le tableau jusqu'alors conservé à New York, rentra en Espagne pour la célébration du centenaire de la naissance de Picasso. Voir **MUSÉE DU PRADO**.

Castellana (Paseo de la). Il s'agit de la grande et large avenue qui traverse la ville du nord au sud. Elle part de la Plaza de Colón, longe les Nuevos Ministerios et la Urbanizacíon Azca pour arriver dans la ville moderne. Elle est bordée d'anciens hôtels particuliers (transformés en banques et en bureaux), d'immeubles commerciaux modernes, de ministères et d'hôtels.

Cera Colón (Museo de). Musée de cire où sont reproduits des personnages de l'histoire de l'Espagne, mais aussi des personnalités espagnoles ou internationales contemporaines. Voir **ENFANTS**.

Cervantes. Miguel de Cervantes Saavedra, créateur du célèbre *Don Quichotte*, est né à Alcalá de Henares en 1547. Il cherchait l'aventure et ne fut pas déçu : blessé au cours de la grande bataille navale de Lépante en 1571, il fut capturé quelques années plus tard par les Turcs et incarcéré à Alger pendant cinq ans. A son retour en Espagne, il commença à écrire, sans que son talent soit vraiment reconnu. *Don Quichotte* parut en 1605. Malgré un large succès auprès du public, l'ouvrage rapporta peu d'argent et d'honneur à son auteur. Cervantes vécut difficilement de quelques autres écrits et travailla à la seconde partie de son chef-d'œuvre qu'il terminera en 1615. Il mourut modestement à Madrid l'année d'après, le même jour que son illustre contemporain William Shakespeare.

Cibeles (Fuente et Plaza de). M° : Banco. La déesse Cybèle est assise sur un char tiré par des lions. Cette magnifique fontaine, dessinée par les architectes de Charles III, est le plus beau monument du Paseo

del Prado. Aujourd'hui, elle doit sa couleur brunâtre à l'intensité du trafic. Au sud-ouest de la place se trouve El Banco de España (construit en 1891) ; au sud-est se dresse la façade blanche du Palacio de Comunicaciones, qui date de 1905 (il s'agit de la Poste centrale). Au nord-est, on découvre le Palacio Lineares, ancienne demeure ducale, et au nord-ouest le Palacio Buenavista, autre résidence aristocratique qui abrite le ministère de la Défense. Voir A NE PAS MANQUER.

Cisneros (Casa de). C'est la résidence officielle du maire de Madrid. Dessinée par le neveu du cardinal Cisneros, elle date des années 1530. Sa façade principale, qui donne sur la rue de Sacramento, est richement décorée. Un pont couvert la relie à l'Ayuntamiento* sur la Plaza de la Villa. Voir PLACES.

Colón (Cristobal et Plaza de). Madrid n'était pas encore la capitale de l'Espagne lorsque Christophe Colomb (Cristobal Colón) débarqua aux Amériques en 1492. Bien que la ville ne puisse pas revendiquer de lien direct avec Christophe Colomb, on y célèbre sa découverte avec beaucoup de fierté. Sa statue, tournée vers l'ouest, se

Statue de Colomb

dresse au-dessus d'une très haute colonne. Les Jardines del Descubrimiento, qui s'étendent tout autour, ont été dessinés dans les années 70. De grandes fêtes commémoratives sont prévues pour 1992 à Madrid comme dans tout le reste de l'Espagne. Voir **PLACES**.

Conde Duque (Cuartel del). Ce sont des casernes, grandes et austères, organisées autour de trois cours intérieures. Dessinées par Pedro Ribera et construites au début du XVIIIe siècle, elles doivent leur nom au ministre de Philippe IV, le Conde Duque de Olivares. Les autorités ont pris l'initiative ambitieuse de faire de ces bâtiments en ruine le plus grand centre de Madrid pour les arts du spectacle et les expositions. Voir **SPECTACLES**.

Corridas. La Plaza Monumental (Las Ventas) est le haut lieu mondial de la corrida. Il est difficile de se procurer des billets pour assister aux spectacles des meilleurs toreros, sauf au marché noir et à des prix exorbitants. La meilleure solution pour les touristes qui souhaitent assister à cette manifestation essentiellement espagnole est sans doute de s'adresser à un voyagiste, qui vous proposera un guide pour commenter les subtilités du spectacle (voir **VISITES DE LA VILLE**). Les enfants de moins de quinze ans ne sont pas admis. Il y a des corridas chaque jour pendant la fiesta de San Isidro (mai) et généralement deux fois par semaine durant la saison d'avril à septembre. Les aficionados considèrent ce spectacle comme un art, tel un ballet en forme de rituel qui trouve son intensité dans le danger qui menace constamment le torero. Mais le sort du taureau est toujours le même.

Cortes (Palacio de las). Carrera de San Jerónimo. M° : Sevilla. C'est dans ce bâtiment relativement petit, achevé en 1850, que se réunit le Parlement espagnol. Le grand portail avec son portique néoclassique ne s'ouvre que pour les cérémonies. Les deux lions qui se tiennent de chaque côté de l'escalier ont été coulés avec le bronze des canons saisis au cours d'une des campagnes espagnoles au Maroc.

Debod (Templo de). Ferraz (Parque del Oeste). Lun.-sam. : 10h-13h, 17h-20h ; dim. : 10h-15h. M° : Plaza de España. Dressé sur l'un des points les plus élevés de la capitale (Montaña del Príncipe Pío), il s'agit d'un petit temple du IVe siècle av. J.-C. dont l'Egypte fit cadeau à l'Espagne au moment de la construction du barrage d'Assouan.

Dos de Mayo. En 1807, avec la complicité de Manuel Godoy (voir Bourbons*), les armées de Napoléon traversèrent l'Espagne pour combattre les Portugais, alliés de la Grande-Bretagne. S'appuyant sur ses troupes en place, Napoléon somma la famille royale d'Espagne, qui se trouvait alors à Bayonne, de faire abdiquer Charles et son fils Ferdinand. Le 2 mai (*Dos de Mayo*) 1808, les Madrilènes organisèrent une manifestation devant le Palacio Real* pour empêcher le départ de la reine et de ses enfants. Murat fit ouvrir le feu, mais, conduit par Pedro Velarde, le peuple prit les armes. Ce jour-là, il y eut des combats sanglants dans les rues et sur les places de Madrid. Le jour suivant, les représailles françaises furent terribles. Ainsi commença la guerre d'indépendance dans laquelle Wellington joua un rôle déterminant en prêtant main-forte aux Espagnols. Voir Goya*.

Ejército (Museo del). Méndez Núñez 1. Mar.-sam. : 10h-17h ; dim. et j. fériés : 10h-15h. M° : Banco, Retiro. Ce bâtiment faisait autrefois partie du palais de Buen Retiro. Il abrite aujourd'hui le musée de l'Armée où sont exposés des souvenirs militaires.

Escorial (El). Voir EXCURSION 3.

Escultura Al Aire Libre (Museo de). Paseo de la Castellana, sous le passage qui relie les rues Eduardo Dato et Juan Bravo. M° : Rubén Dario. Parmi les sculptures modernes exposées en plein air, on peut voir la *Sirena Varada* de Chillida et la *Mère Ubu* de Miro.

Etnologia (Museo Nacional de). Alfonso VII 68. Mar.-sam. : 10h-14h, 16h-19h ; dim. : 10h-14h. Fermé j. fériés. Exposition d'objets rapportés des avant-postes de l'ancien empire colonial d'Espagne.

Flamenco. Le flamenco s'est développé après l'établissement de l'Inquisition ; c'était alors la musique des minorités opprimées qui se retrouvèrent ensemble dans les montagnes de l'Andalousie : les gitans d'origine indienne, les Maures et les Juifs. Le flamenco réunit normalement quatre talents distincts : le chant (*cante*), la danse (*baile*), la guitare (*toque*) et le claquement rythmique des mains et des pieds (*jaleo*). Les meilleurs danseurs ont une qualité indicible que l'on appelle le *duende*. Le *flamenco jondo*, profond et mélancolique, exprime les émotions les plus profondes ; plus léger et vivant, le *flamenco chico* parle de l'amour sensuel et de ses malheurs. Les *tablaos* que l'on voit dans les spectacles commerciaux présentent généralement un mélange des deux. Voir **VIE NOCTURNE.**

Franco (Francisco). Homme politique espagnol, né en 1892 et mort à Madrid en 1975, il instaura un gouvernement dictatorial en Espagne après la guerre civile de 1936. Chef suprême sous le nom de « Caudillo », il désigna, dès 1969, l'actuel roi d'Espagne pour lui succéder.

Goya (Francisco). Né en 1746 et fils d'un artisan aragonais, il reçut sa première commande de cour sous Charles III pour lequel il créa la plupart des ravissants cartons utilisés pour les tapisseries de la manufacture royale. Les portraits qu'il fit de Charles IV et d'autres membres de la royauté ne sont jamais flatteurs. On soupçonne la duchesse d'Albe d'avoir été sa maîtresse et d'avoir servi de modèle pour deux de ses tableaux : la *Maja desnuda* et la *Maja vestida*. Deux chefs-d'œuvre réalisés six ans après les événements, le *2-Mai* et le *3-Mai* ouvrent de nouveaux horizons dans l'expression artistique et évoquent de façon frappante l'horreur des scènes de massacre. Les « peintures noires » exécutées à l'origine sur les murs de sa maison sont le fruit de l'âge, de la surdité et de la désillusion. Vers l'âge de 80 ans cependant, il commença à peindre des œuvres qui pourraient le classer parmi les premiers impressionnistes. Il mourut à Bordeaux en 1828.

Granja (San Ildefonso de la). Voir **EXCURSION 2.**

Gran Vía. Les travaux de démolition pour percer ce qui allait devenir la plus grande avenue commerçante de Madrid commencèrent en

1910. La Gran Vía s'étend de la rue Alcalá jusqu'à la rue Red de San Luis ; elle traverse ensuite la Plaza de Callao et continue jusqu'à la Plaza de España. A cette extrémité de la rue, les hôtels, les cinémas, les magasins et les immeubles de bureaux s'inspirent de l'architecture américaine des années 20 et 30 et donnent à la rue un petit air de Broadway. Néanmoins, l'époque faste de cette avenue est déjà loin et c'est ailleurs qu'il faut chercher les quartiers chics de Madrid.

Greco (El). Né en Crète en 1541, Domenikos Theotokopoulos travailla en Italie où il fut influencé par Le Titien et le Tintoret avant de gagner l'Espagne en 1577. Il chercha à être reçu par le roi pour devenir peintre officiel de la cour, mais le monarque manifesta peu d'intérêt pour son travail. Il s'installa alors à Tolède où il se consacra aux œuvres de commande. El Greco se spécialisa dans les thèmes religieux et développa un style unique et profondément spirituel à une époque dominée par le maniérisme. Ses tableaux témoignent à l'évidence de son apprentissage chez les maîtres italiens ainsi que d'une très forte influence byzantine, qui apparaît notamment dans l'élongation des formes et dans la perspective. Il utilisait des couleurs vives et avait l'habitude de séparer sa toile en deux compositions, une vision céleste surmontant une scène terrestre. Ses portraits, exécutés dans des tons plus foncés, montrent des personnages réfléchis. El Greco mourut en 1614.

Guadarrama (Sierra de). Ces montagnes (qui culminent à 2 430 mètres) s'étendent au nord de Madrid selon un axe nord-ouest et rejoignent la Sierra de Gredos. Ces deux chaînes de montagnes ont une grande influence sur le climat de la capitale. En outre, leur proximité permet aux Madrilènes de pratiquer aisément toutes sortes d'activités de plein air. Les pics de granite déchiquetés, les pentes douces recouvertes de pins et de chênes, les torrents et les lacs, les petits villages et les aménagements de loisirs attirent les Madrilènes pour une journée ou un week-end (beaucoup possèdent une résidence secondaire). Voir **Sports d'hiver.**

Guerres carlistes. Don Carlos, frère de Ferdinand VII, disputa le trône à sa nièce (voir Bourbons*), ce qui donna lieu à la première puis à la deuxième guerre carliste (1833-1839/1847-1849) en même temps qu'à d'importants bouleversements politiques. En 1868, Isabelle s'exila et fut remplacée par un roi désigné, Amédée de Savoie. Cela déplut fortement à Don Carlos : la troisième guerre carliste éclata (1872-1876). La première république fut proclamée en 1873, au moment de l'abdication d'Amédée, mais elle fut de courte durée, car le fils d'Isabelle reconquit le trône l'année d'après.

Guerre civile. Le général Francisco Franco* prit la tête d'une faction de l'armée qui se qualifia de « nationaliste » et se souleva contre le gouvernement républicain du Front populaire espagnol en juillet 1936. Madrid se rangea du côté du gouvernement élu et sa population résista courageusement au siège des « nationalistes » et au bombardement intensif qu'ils lui firent subir jusqu'au 28 mars 1939, date où la ville finit par tomber.

Habsbourg. Charles Quint (1516-1556) hérita d'une Espagne unie comprenant les colonies méditerranéennes et américaines des Rois Catholiques. Il prit le titre de saint empereur romain lorsque son grand-père lui légua l'immense royaume d'Allemagne et d'Autriche des Habsbourg, les Pays-Bas et certaines régions de France. Ce monarque passa sa vie à se battre contre les Français et à lutter contre la Réforme. Avant de se retirer dans un monastère, il abandonna une partie de l'empire (l'Allemagne et l'Autriche) à son frère. Son fils Philippe II (1556-1598) continua à dilapider dans des guerres et dans son combat contre le protestantisme les richesses rapportées des Amériques. Il fut vainqueur des Turcs à Lépante en 1571 et prit le Portugal dix ans plus tard. Mais, en 1588, son *Invincible Armada* connut une défaite désastreuse face aux Anglais, et il finit par céder les Pays-Bas à sa fille et à son époux autrichien. Au cours du règne de Philippe III (1598-1621), monarque sans autorité, puis de celui du brillant mais inefficace Philippe IV (1621-1665), l'influence de l'Espagne continua à décliner. Cette époque constitue toutefois l'âge d'or de la culture en Espagne : elle vit éclore des peintres comme Velázquez* et Murillo* ou des écrivains comme Lope de Vega*, Tirso de Molina et Calderón.

Herrera (Juan de). Né en 1530, Juan de Herrera est l'architecte du célèbre monastère-palais de l'Escorial*. Cet imposant édifice lui fut commandé par Philippe II. Il réalisa également la façade sud de l'Alcazar, à Tolède, la Plaza Mayor de Madrid (voir PLACES), la cathédrale de Valladolid, etc. Il mourut à Madrid en 1597.

Histoire. Voir Maures*, Rois Catholiques*, Habsbourg*, Bourbons*, Dos de Mayo*, Guerres carlistes*, Franco*, Guerre civile*, Juan Carlos Ier*.

Juan Carlos Ier. Le roi d'Espagne, né à Rome le 5 janvier 1938, est le petit fils d'Alphonse XIII, dernier roi de la dynastie des Bourbons. En 1962, il épousa la princesse Sofiá, fille du roi de Grèce. En 1969, Franco fit de lui son successeur à la tête de l'État. Proclamé roi à la mort de Franco en 1975, Don Juan Carlos se donna pour tâche de conduire le pays vers la démocratie en instaurant une nouvelle Constitution (en 1978) qu'il défendit avec beaucoup d'énergie. Avec la reine et leurs enfants Elena, Cristina et Felipe, il a créé une monarchie populaire et populiste. Le roi est un grand sportif et la reine soutient les arts avec enthousiasme. Ils vivent dans le modeste palais de Zarzuela, où la pompe et le protocole qui entourent les autres cours d'Europe sont pratiquement inexistants. Le jour des ses 18 ans, le prince Felipe reçut le titre de prince des Asturies et devint officiellement l'héritier présomptif de la couronne d'Espagne.

Lázaro Galdiano (Museo de). Serrano 122. M° : Núñez de Balboa. José Lázaro Galdiano, riche financier, écrivain et collectionneur passionné, légua sa demeure néoclassique et sa merveilleuse collection d'objets d'art à l'État, qui, en 1951, ouvrit au public ce musée passionnant où sont exposés quelque neuf mille objets. Chaque matériau de chaque période possède une valeur artistique, et le musée est plein de surprises. Les plus remarquables sont les collections d'émaux, les métaux précieux ouvragés du Moyen Age, les bijoux de la Renaissance italienne et une sélection de tableaux des maîtres flamands, hollandais, espagnols (El Greco*, Velázquez* et Goya*) et quelques-uns des plus grands peintres anglais. Voir MUSÉES 2.

Liria (Palacio de). Princesa 20. M° : Ventura Rodriguez. Visites uniquement le samedi sur autorisation (à demander par écrit). Fermé en août. Visite guidée en espagnol. Cette ancienne demeure du duc d'Albe (fin du XVIIIe siècle) fut détruite pendant la guerre civile et reconstruite par la suite. Fort heureusement, le gouvernement républicain avait mis en sécurité le trésor qu'elle contenait. Celui-ci comptait des œuvres importantes de maîtres italiens, flamands et de quelques grands maîtres espagnols dont Goya*.

Lope de Vega. Au cours d'une existence mouvementée durant le Siècle d'or espagnol, Félix Lope de Vega (1562-1635) écrivit quelques 1500 œuvres, notamment des comédies, des drames religieux, de courtes pièces, des ballades et des sonnets. Les deux autres grands dramaturges de l'époque étaient également madrilènes : il s'agit de Tirso de Molina (1585-1648), qui créa le personnage de Don Juan, et de Pedro Calderón de la Barca (1600-1691).

Los Caidos (Valle de). Voir EXCURSION 3.

Lujanes (Torre de). Derniers bâtiments médiévaux de Madrid, ou presque. La maison et la tour ont été restaurées maintes fois au fil des ans. On peut encore admirer une porte gothique.

Manzanares (Río). « Vous avez un bien joli pont qui n'attend qu'une rivière », disait Lope de Vega en parlant de la petite rivière de Madrid. Depuis, le Manzanares a été nettoyé et transformé en un chenal plus large mais peu profond, et ses rives ont été aménagées pour le sport et les loisirs. Voir Puentes*.

Maures. Terme générique désignant les Arabes, les Berbères et autres musulmans qui envahirent l'Espagne à partir de l'Afrique du Nord en 711 et se rendirent maîtres de la Péninsule. On sait peu de choses sur leur séjour à Madrid. L'alcazar (forteresse) situé sur les rives du Manzanares* tomba aux mains des chrétiens en 1083.

Monserrat. San Bernardo 79. M° : San Bernardo. La construction de ce gigantesque édifice conçu par Pedro de Ribera débuta en 1720 mais ne fut jamais menée à terme. Cet architecte et son contemporain Francisco Moradillo, réalisèrent d'ailleurs de nombreux édifices du « Madrid baroque ». A une époque, ce bâtiment servit de prison. Il possède une façade impressionnante et une tour tout à fait incongrue. Voir **CIRCUIT 3**

Mudéjar. Nom donné aux musulmans vivant sous la domination chrétienne. Désigne également un style architectural qui intègre des éléments de l'art maure et qui fut très en vogue du XIIIe au XVIe siècle. Autour de la Calle Mayor, le Madrid médiéval montre de nombreux édifices de style mudéjar*, inspirés de l'art maure. Entre cette place et celle de la Cruz Verde, de l'Alamillo et de la Ronda de Ségovia, se trouvent les restes de la Morería, le quartier maure.

Municipal (Museo). Fuencarral 78. M° : Tribunal. Le musée et la bibliothèque se trouvent dans l'ancien Hospicio de San Fernando dont l'édification commença en 1722. La porte baroque très travaillée et la façade austère ont été conçues par Pedro de Ribera, de même que la jolie fontaine « la Fama » qui se trouve dans le jardin. Une exposition variée et bien présentée retrace l'évolution de la capitale. A noter deux pièces remarquables : un plan de la ville de 1656 et une maquette réalisée en 1830. Voir **MUSÉES 3**.

Murillo (Bartolomé Esteban). Né à Séville en 1618, ce peintre réalisa à la fois de grandes compositions religieuses d'un profond mysticisme (grands cycles des couvents de Séville) et des tableaux réalistes. Le musée du Prado rassemble un grand nombre de ses œuvres. Il mourut à Séville en 1682.

Paja (Plaza de la). M° : La Latina. Autour de cette place, la Capilla del Obispo (chapelle de l'évêque), la Capilla de San Isidro, la Plaza de San Andrés et l'église San Andrés, avec sa coupole à lanterne, forment un ensemble architectural harmonieux. L'église San Andrés est une ancienne église médiévale reconstruite au XVIIe siècle. Endommagée pendant la guerre civile, elle est en cours de restauration.

Palacio Real. Appelé aussi Palacio de Oriente, il occupe le site d'une ancienne forteresse maure, remplacée plus tard par l'alcazar que Charles Quint et Philippe II firent agrandir mais qui fut entièrement détruit par un incendie en 1734. Pour la construction du nouvel édifice entreprise quatre ans plus tard, Philippe V fit appel à deux architectes italiens : Juvara et Sachetti. La façade s'inspire des dessins de Bernini destinés au Louvre et le bâtiment principal forme un carré avec cour intérieure. Du côté sud, les ailes qui flanquent la façade principale forment deux portiques qui enserrent la Plaza de la Armería. Au nord et à l'ouest, d'énormes contreforts épousent le terrain en pente, accentuant encore l'effet de hauteur. Une balustrade décorée couronne l'édifice. A l'intérieur, le mobilier est somptueux, principalement de style « Empire » et conforme à ce que l'on pouvait attendre de la flamboyante monarchie des Bourbons*. La famille royale actuelle n'habite pas au Palais royal. Visites guidées en espagnol, anglais, français et allemand des appartements, de l'armurerie, de la bibliothèque, de la pharmacie et du musée du Carrosse (ouv. lun.-sam. : 9h-18h15 et dim. : 9h-15h15). Voir A NE PAS MANQUER.

Pardo (El). Lun.-sam. : 10h-13h, 15h30-18h, dim. et j. fériés : 10h-13h. Peut être fermé certains jours. Il s'agit d'un petit palais bourbon, situé dans une région boisée à 14 km au nord-ouest de Madrid où Franco* vécut pendant sa dictature. Parmi l'ameublement somptueux on compte plus de deux cents tapisseries. On peut également visiter la Casita del Príncipe (pavillon) et la Quinta (résidence ducale). Visites guidées.

Plaza Mayor. La construction de cette grande place rectangulaire (110 m par 90 m) a été entreprise par Juan de Herrera* pour le roi Philippe II et achevée par Gómez de Mora en 1619, sous le règne de Philippe III. Détruits par un incendie, les bâtiments ont été restaurés en 1853. Les trois étages de fenêtres à balcons succèdent harmonieusement aux arcades du rez-de-chaussée. L'ensemble est recouvert d'un toit en ardoises garni de lucarnes et de tourelles. A l'occasion des festivités et des cérémonies), les résidents louaient des places aux spectateurs sur leurs balcons. La Casa de la Panadería (boulangerie) au centre de la façade nord abritait les appartements de la famille royale. A la fin des années 60, la place devint piétonne et on aménagea un parking en dessous. Cette place est le lieu de nombreuses manifestations et c'est là que se déroule le marché de Noël. Voir PLACES.

Prado (Museo del). Les rois d'Espagne étaient de grands collectionneurs d'art, mais aussi des mécènes. Le Prado est le magnifique résultat de leurs initiatives. Les collections ont d'abord été rassemblées en 1819, par Ferdinand VII, dans le bâtiment néoclassique conçu par Juan de Villanueva pour abriter un musée d'Histoire naturelle. Y figurent en grand nombre des œuvres provenant des contrées européennes du royaume d'Espagne, comme les Flandres,

mais aussi des tableaux de peintres étrangers tels que Rubens, Titien et d'autres Italiens pour lesquels certains rois ont marqué une préférence. Une grande partie de la collection de Charles Ier d'Angleterre fut rachetée à bas prix et avec un grand discernement par Philippe IV. Les délicates sculptures classiques viennent des collections constituées à Rome aux XVIIe et XVIIIe siècles par la reine Christine de Suède et par un ambassadeur espagnol. A la fin du XIXe siècle, de nombreuses pièces vinrent s'y ajouter, notamment des fresques romanes provenant d'églises et de monastères. Certaines acquisitions proviennent d'achats ou de donations. Mais le Prado est surtout célèbre pour l'abondance de ses toiles de peintres espagnols tels que Morales, Sánchez Coello, Ribera*, Zurbarán*, Murillo*, Claudio Coello, Alonso Carro et les plus grands de tous, El Greco*, Velázquez* et Goya*. La présentation et la conservation des objets exposés ont été améliorées grâce à quelques réaménagements, à l'installation de la climatisation et d'un nouvel éclairage, mais grâce aussi à de nouvelles méthodes de gestion. Les étudiants sérieux et les amateurs d'art avertis n'auront besoin d'aucun conseil pour se déplacer dans ce grand musée afin d'en tirer le meilleur

Musée du Prado

profit. En revanche, nous recommandons à ceux qui n'ont pas beaucoup de temps, de se concentrer sur les trois grands maîtres espagnols. Tenter de saisir leur génie suffit pour la journée. La boutique du musée offre un grand choix de guides de tous niveaux, mais aussi des cartes postales, des diapositives, des posters et des livres d'art. Voir MUSÉE DU PRADO.

Prado (Paseo del). M° : Atocha, Banco. En 1775, Charles III fit percer cette large avenue bordée d'arbres pour y faire sa promenade quotidienne. Elle n'a pas changé depuis. Les fontaines de Neptune, d'Apollon et de Cybèle en sont les fleurons. La promenade s'étend de la Plaza del Emperador Carlos V au sud jusqu'à la Plaza de Cibeles au nord, et elle est bordée par les jardins botaniques, le musée du Prado et d'autres bâtiments élégants. Au milieu, l'hôtel Plaza et le palais néoclassique de Villahermosa (musée Thyssen-Bornemisza) donnent sur la Plaza Cánovas del Castillo (et la fontaine de Neptune). Un peu plus loin, l'hôtel Ritz et la Bolsa (la Bourse) forment un demi-cercle gracieux autour de la Plaza de la Lealtad, où un obélisque commémore les fidèles patriotes du 2 Mai 1808.

Puentes. Puente de Segovia. M° : Opera ou La Latina, puis se diriger vers l'ouest. Puente de Toledo. M° : Piramides. Le Puente de Segovia, inauguré en 1584, est le plus vieux pont sur le Manzanares*. Epuré, massif et austère, il porte l'empreinte de son architecte, Juan de Hererra* qui le construisit à la demande de Philippe II. Cent cinquante ans plus tard environ, Pedro de Ribera, engagé par Philippe V, réalisa le Puente de Toledo, beaucoup plus travaillé avec ses contreforts, ses balcons et ses deux petites chapelles érigées à mi-chemin. Les styles opposés de ces deux ponts font ressortir la différence de goût entre un Habsbourg du début de la dynastie et le premier roi bourbon.

Real Academia de Bellas Artes de San Fernando.
L'Académie royale des beaux-arts, créée au XVIIIe siècle par le roi Fernand VI, occuppe un édifice imposant au centre de Madrid (près de la Puerta del Sol). Le musée contient un important fonds de peinture et de sculptures des vieux maîtres espagnols, dont de remarquables

Paseo de Recoletos

œuvres de Zurbarán* et de Goya*. Les artistes étrangers sont également bien représentés, notamment l'école flamande. Il ne faut pas manquer, en outre, les délicieux « portraits botaniques » d'Arcimboldo. Voir **MUSÉES 1**.

Recoletos (Paseo de). M° : Banco, Colón. Il commence à la Plaza de Cibeles et débouche sur la Plaza de Colón, reliant le Paseo del Prado* et le Paseo de la Castellana pour constituer ainsi la plus grande avenue de la capitale sur l'axe nord-sud. Des rangées d'immeubles, la demeure du Marqués de Salamanca (aujourd'hui la banque d'hypothèque) et la Bibliothèque nationale bordent ce *paseo* qui est probablement le lieu de promenade préféré des Madrilènes.

Ribera (José de). Né près de Valence en 1591, ce peintre et graveur travailla surtout à Naples où son art, inspiré du Caravage, fit école. Le Prado*, l'Escorial*, le musée de Santa Cruz et l'hopital Tavera à Tolède exposent ses œuvres. Il mourut à Naples en 1652.

Riofrío. T.l.j. : 10h-13h, 16h-19h. A 10 km au sud de Ségovie. Palais italien du XVIIIe siècle entouré de bois de chênes et d'un parc où des cerfs et des daims vivent en liberté. Du matériel de chasse et des animaux empaillés sont exposés au musée de la Chasse.

Rois Catholiques. L'Aragon et la Castille étaient les deux seuls royaumes chrétiens d'Espagne lorsque Isabelle et Ferdinand se marièrent en 1469. Elle devint Isabelle Ire de Castille en 1474 ; son mari hérita de la couronne d'Aragon cinq ans plus tard et devint Ferdinand II. Ils marièrent leur fille Juana la Loca (Jeanne la Folle) à un des fils de l'empereur des Habsbourg. Ce mariage et la conquête du royaume de Naples marquèrent le début de l'aventure espagnole en Europe. Isabelle avait instauré l'Inquisition. Elle et son mari reçurent du pape le titre de Rois Catholiques pour le zèle qu'ils montrèrent à propager la foi. Le cardinal Cisneros était leur plus fidèle partisan et administrateur. En 1492, ils s'emparèrent de Grenade, dernier royaume musulman de la Péninsule et expulsèrent tous les juifs qui ne voulaient pas se convertir. C'est cette même année que Christophe Colomb découvrit l'Amérique.

San Isidro (Catedral de). Toledo 49. M° : La Latina.
De style baroque, elle fut construite par les jésuites dans les années 1620. Par la suite, elle fut transformée et dédiée au saint patron de Madrid. Aujourd'hui, elle sert de cathédrale provisoire de la capitale. Le collège attenant possède un très beau cloître. Voir CIRCUIT 1.

Ségovie. Voir EXCURSIONS, Puentes*.

Sereno. Jadis, les *serenos* détenaient les clés des immeubles de chaque îlot de maisons et faisaient rentrer les gens la nuit. Aujourd'hui, plus jeunes et plus robustes, ils patrouillent dans les rues armés d'une matraque, d'une torche électrique et d'une alarme.

Taurino (Museo). Plaza Monumental de Las Ventas, Patio de Caballos, Alcala. Mar.-dim. : 9h-15h. M° : Ventas. Rattaché à la plus active des arènes du pays, ce musée taurin présente tous les ornements relatifs à la corrida ainsi que les vêtements d'apparat de quelques célèbres toreros.

Terrasses. Pendant les mois d'été, les terrasses s'étalent dans toute la ville. Le long des Paseos Prado, Recoletos et Castellana, on en compte pas moins de quarante. Les Madrilènes viennent se détendre et bavarder jusqu'au petit matin dans cette partie de la ville surnommée la Costa de Madrid. Chaque groupe possède ses lieux préférés, selon le type de musique qui s'y donne.

Tertulia. Désigne une réunion dans un lieu public où des habitués se retrouvent pour discuter et refaire le monde à leur idée. Cette coutume a tendance à disparaitre ; pourtant, on se réunit encore quelquefois au café Gijón ou au bar de l'hôtel Velázquez.

Toledo. Voir EXCURSIONS, Puentes*.

Tuna. C'est ainsi que l'on nomme les étudiants qui, vêtus dans le style de l'âge d'or espagnol, forment une bande de troubadours et font le tour des bars et des restaurants dans l'espoir d'y trouver un public généreux.

Universitaria (Ciudad). M° : Mancloa. Cet ensemble très étendu, qui date de 1927, a été réalisé sous la dictature de Primo de Rivera. Pendant le siège de Madrid, au moment de la guerre civile, de nombreux édifices furent détruits. Ceux qui les remplacent offrent l'ennuyeuse fadeur de la période franquiste.

Velázquez (Diego). Né à Séville en 1599. C'est dans sa ville natale qu'il commença à étudier la peinture alors qu'il était adolescent. A 24 ans, il se rend à Madrid et devient peintre de la Cour sous Philippe IV, fonction qu'il conserve jusqu'à sa mort en 1660. Son œuvre religieuse est peu abondante et se limite aux toutes premières années de sa carrière. Le naturalisme est son point fort ; ses tableaux sont dépourvus de tout symbolisme particulier ou de toute propagande. Velázquez a peint les membres de la famille royale, les courtisans (dont un grand nombre de nains) ainsi que des scènes historiques et mythologiques. Il a remporté son plus grand triomphe sur la perspective aérienne : il avait le don exceptionnel d'entraîner le spectateur dans le tableau, effet qu'il a porté à la perfection dans ce qui est probablement le plus célèbre de ses tableaux, *Las Meninas* (*les Ménines*). Le musée du Prado* renferme également *Los Borrachos* (*les Buveurs*), *Las Hilanderas* (*les Fileuses*), et *Las Lanzas* (*la Reddition de Breda*).

Villa. Ancien mot castillan désignant une petite ville fortifiée. Curieusement, la capitale de l'Espagne tient à ce titre plus qu'à tout autre.

Zurbarán (Francisco). Né en 1598, ce peintre exécuta surtout des œuvres religieuses. Ses qualités plastiques liées à une profonde spiritualité le mettent aujourd'hui au premier rang des grands maîtres espagnols. Il mourut en 1664.

Palacio Real

Achats. Devenue aujourd'hui une des capitales mondiales de la mode, Madrid a de quoi tenter les amateurs de beaux vêtements, articles de maroquinerie, chaussures, accessoires et bijoux. Les enfants ne seront pas déçus non plus. Les œuvres d'art originales et les reproductions de chefs-d'œuvre peuvent constituer des souvenirs durables et relativement peu coûteux. Vous trouverez également un bon choix d'articles ménagers et d'objets décoratifs ou design. Enfin, les produits de l'artisanat ne manquent pas : céramiques, broderies, éventails et bijoux damasquinés - autant d'articles esthétiques et d'un bon rapport qualité-prix. N'oubliez pas non plus les excellents vins et alcools espagnols.

Aéroport. L'aéroport international de Barajas (*aeropuerto*) n'est qu'à 17 kilomètres à l'est de la ville, non loin de l'autoroute NII. En dehors des services habituels, vous y trouverez un bon magasin hors taxes. Les porteurs sont aimables et pratiquent des tarifs fixes. Les bus jaunes assurent un service régulier jusqu'au terminal situé sous la Plaza de Colón. Les taxis agréés sont relativement bon marché (des suppléments sont comptés pour le trajet à l'aéroport et pour les bagages). Eviter tout autre prétendu taxi.

Ambassades, consulats. Les brochures touristiques (ou les cartes gratuites de la ville distribuées par la municipalité) donnent la liste des ambassades ; vous pouvez aussi consulter l'annuaire du téléphone. En cas de besoin, le personnel de l'hôtel vous aidera à prendre contact avec votre ambassade ou consulat. Consulat de France : (34) 1 597 32 67. Ambassade du Canada : (34) 1 431 43 00. Ambassade de Suisse : (34) 1 431 34 00. Ambassade de Belgique : (34) 1 575 98 02.

Animaux familiers. Renseignez-vous auprès du consulat espagnol le plus proche sur les conditions d'admission des animaux ; n'oubliez pas non plus de vérifier les réglementations concernant le retour des animaux dans votre pays. Peu d'hôtels acceptent les animaux.

Auberges de jeunesse. Il ya 80 lits dans cette auberge, assez centrale, de Madrid : Santa Cruz de Marcenado 28. M° : San Bernardo.

L'auberge Richard Schirmann, Recinto, Casa de Campo, M° : Lago, possède 120 lits.

Baby-sitters. Rares sont les hôtels qui assurent ce service, mais certains vous trouveront des baby-sitters professionnelles sur demande. Renseignez-vous à l'avance. Vous pouvez également vous renseigner localement sur les possibilités de garderies (*guarderías*).

Blanchisseries. Les hôtels proposent des services de blanchisserie et de pressing, mais vous paierez vraisemblablement moins cher dans une laverie (*lavandería*) ou dans un pressing (*tintorería*). Le prix est généralement fonction du poids et il faut compter un délai minimum de 24 heures.

Boissons. Vous trouverez des bières importées (*cerveza*), mais la bière pression (*una cana*) est généralement moins chère. La *sangria* (plus ou moins forte) se compose de glace, limonade, vin rouge, cognac, fruits et jus de fruit. Le xérès (*jerez*) peut être sec et clair (*fino*), médium (*amontillado*) ou doux et épais (*oloroso*). Les cognacs espagnols (*coñac*) varient beaucoup en qualité, les meilleurs étant les *reservas* de dix ans d'âge ou plus. Les liqueurs ne manquent pas et la ville proche de Chinchón fabrique de bonnes liqueurs à l'anis. Le *madroño,* à base de fraises, est très apprécié à Madrid.

Bonnes manières. Souvenez-vous que vous êtes dans un pays étranger et que vous devez vous adapter aux coutumes de vos hôtes, et non l'inverse. Vous remarquerez rapidement deux choses : les Espagnols n'aiment pas être bousculés et ils n'aiment pas former des files d'attente disciplinées. Il est naturellement impoli de critiquer leur pays, même s'ils le font volontiers eux-mêmes ; en revanche, ils seront heureux si vous vous intéressez à eux et à leurs affaires. Deux expressions importantes sont : *por favor* (s'il vous plaît) et *gracias* (merci). Lorsque vous entrez dans une pièce, un magasin, un ascenseur ou que vous êtes officiellement présenté à quelqu'un, la formule de salutation est *buenos días* (bonjour) ou *buenas tardes* (bonsoir). Au moment de se quitter, on se souhaite *adiós* ou *buenas noches* (bonsoir).

Bus. En dehors des heures de pointe, le réseau de bus est un bon moyen pour se déplacer dans la ville et la découvrir au passage. Les minibus jaunes climatisés vous conduiront plus rapidement et plus confortablement à votre destination. Pour obtenir des plans du réseau ou des tickets forfaitaires (*bonos*), adressez-vous au kiosque de EMT Plaza de Cibeles. Certains des itinéraires les plus utiles passent par cette place ; c'est le cas de la ligne 1 sur l'axe est-ouest ou de la ligne 27 qui va du nord au sud.

Cigarettes et tabac. Vous les trouverez dans les *estancos* (*tabacos*), qui offrent généralement un choix de marques internationales. Les cigarettes espagnoles peuvent être fortes - celles fabriquées avec du tabac brun (*negro*), les Ducados par exemple - ou légères - fabriquées avec du tabac blond (*rubio*), par exemple les Fortuna. Les cigares en provenance des Canaries sont relativement coûteux. La plupart des tabacs à pipe sont forts et âpres.

Cinéma. L'Espagne possède une industrie cinématographique

dynamique et créatrice. La plupart des films étrangers sont doublés ; les projections en versions originales avec sous-titres espagnols portent la mention « v.o. ». Il existe une forte concentration de cinémas le long de la Gran Vía, et une autre le long de Fuencarral. La première séance commence généralement à 16h30, la dernière à 22h30. Alphaville, située Martín de los Heros (du côté de la Plaza del Espana) est un complexe de quatre salles qui présentent souvent des films en version originale, de même que la Filmoteca située Torre de España. La Chopera (Parque del Retiro, en plein air les soirs d'été) présente des films grand public pour hispanophones.

Climat. Juillet et août sont des mois torrides, juin et septembre ne sont pas beaucoup moins chauds. En avril-mai et en octobre-novembre, vous bénéficierez généralement d'une combinaison agréable de ciels dégagés, d'une faible humidité et de températures confortables (15-22 °C). Entre décembre et février, il fait froid et le ciel est souvent couvert, mais il peut y avoir des périodes très agréables de temps doux et ensoleillé.

Coiffeurs. Beaucoup de salons de coiffure (*peluquería*) sont

unisexes, mais les prix varient énormément ; renseignez-vous donc avant que le coiffeur ne s'attaque à votre *pelo* (chevelure). Il existe trois chaînes réputées : Llongueras, Gente et Macavi. D'autre part, Daniel Blanco, situé Juan Bravo 2, est un salon élégant proposant des traitements de beauté.

Conduire. Si vous voulez un bon conseil, évitez tout simplement de conduire à Madrid. Les Madrilènes conduisent très vite et sont très impatients. Il est également difficile de trouver à stationner. Autant que possible, ayez donc recours aux transports en commun, taxis et excursions organisées. Si vous vous rendez en Espagne en voiture, renseignez-vous sur les procédures à suivre en cas d'accident ou de panne. Si vous êtes en voiture de location, prenez contact avec la société de location. Les interdictions de stationner sont généralement clairement indiquées sur les bordures de trottoirs et par une signalisation appropriée. Certaines stations-service sont fermées le dimanche et les jours fériés ; pensez à faire le plein. Pour conduire en Espagne, il vous faut un passeport, un permis de conduire international, la carte grise de la voiture, des ampoules de rechange et un triangle de signalisation si vous roulez sur autoroute. Vous devez être âgé de 18 ans révolus.

Cultes religieux. Le consulat de votre pays pourra vous renseigner sur les lieux de culte et les horaires des offices. Voici quelques églises catholiques desservant les communautés étrangères : française, Lagasca 87 ; britannique, Núñez de Balbao 43 ; italienne, Travesca del iombo 1 ; nord-américaine, Avda Alfonso XIII 165 ; polonaise, Donos Cortés 63.

Dentistes. Voir **Médecins.**

Drogues. La détention de drogues est illégale et leur introduction dans le pays peut donner lieu à des peines très sévères. Les attitudes en la matière étaient assez libérales au début des années 80, mais elles ont été récemment renforcées pour empêcher le développement de la toxicomanie et de la criminalité qui lui est associée.

Electricité. 220 ou 225 volts. Prise à deux fiches rondes. Les couleurs des fils sont conformes au normes internationales.

Enfants. Ils sont bien accueillis partout et à tout moment. Pour leur trouver des distractions, consultez la rubrique ENFANTS, mais aussi la presse locale ou les offices de tourisme qui vous renseigneront sur les manifestations susceptibles de les intéresser.

Fiestas. La *Semana Santa* est solennellement célébrée dans la moindre petite ville. Les fêtes les plus spectaculaires se tiennent à Tolède, Ségovie et Cuenca, où a lieu également un festival international de musique religieuse. Les semaines situées de part et d'autre du 15 mai, jour de San Isidro (saint patron de Madrid), sont consacrées à diverses festivités : les différents quartiers de la ville font assaut d'imagination, ce qui donne un grand choix d'activités culturelles et de manifestations sportives. Le défilé d'un char orné (*custodia*) à travers des rues jonchées d'herbes et de fleurs est un des grands moments commémoratifs des rites anciens et grandioses perpétués par Tolède à l'occasion de la Fête-Dieu (*Corpus Christi*), fin mai-début juin. Dans la seconde moitié d'octobre, Ávila* organise des fêtes religieuses païennes commémorant sainte Thérèse. Il ne se passe guère de semaine sans qu'il y ait une *fiesta* dans un des quartiers de la ville ou dans les villes ou villages des environs. Demandez des détails à l'office du tourisme dès votre arrivée.

Guides. Les offices de tourisme vous fourniront la liste des guides et interprètes officiellement agréés pour vos visites personnelles ou vos réunions d'affaires.

Handicapés. On observe une sensibilisation nouvelle aux besoins des handicapés (par exemple en matière de toilettes ou de rampes d'accès), mais les équipements restent, en règle générale, limités. Avant de réserver, renseignez-vous bien auprès de votre agence de voyages, et précisez clairement vos besoins.

Hébergement. Par rapport à beaucoup d'autres capitales, l'hébergement à Madrid offre un très bon rapport qualité-prix. Les *Hoteles* (H) sont classés de une à cinq étoiles, la catégorie *Gran Luyo* étant réservée aux hôtels de luxe comme le Ritz ou la Villa Magna. Un *Hotel Apartamento* (HA) propose tous les services d'un hôtel avec hébergement en appartement. En revanche, un *Hotel Residencia* (Hr) n'assure pas la restauration complète. Les *Hostals* (Hs), qui ressemblent beaucoup à des hôtels mais ont généralement des équipements plus modestes, sont classés de une à trois étoiles, mais il arrive qu'un bon *Hostal* soit meilleur qu'un hôtel de même catégorie. Les appartements pour touristes (AT) sont classés de une à quatre clés : on peut y faire la cuisine, mais il faut généralement y séjourner au minimum une semaine. Les maisons d'hôte (*Casas de Huéspedes*) et les auberges (*Fondas*) offrent l'hébergement le plus rudimentaire. Par ailleurs, il existe des terrains de camping (classés en trois catégories) en dehors de la ville. Les offices du tourisme de l'aéroport et de Torre de Madrid vous aideront à trouver un logement, mais les offices espagnols du tourisme de votre pays pourront vous donner des renseignements et des noms d'agences s'occupant de réservations en Espagne. Pour les campeurs, la Federacion Internacional de camping gère un service

central de réservations : Edificio España, Grupo 4, Planta 11, Oficina 4, Madrid. Tél : 5421089.

Heures d'ouverture. La traditionnelle *siesta* est menacée à Madrid. L'Espagne moderne peut difficilement dormir au moment où ses concurrents européens sont au travail. Beaucoup d'entreprises pratiquent désormais la journée continue. Certaines administrations conservent les horaires anciens, d'autres ont changé. N'oubliez pas que les déjeuners dans les restaurants sont servis entre 14h et 16h30 et les dîners, à partir de 22h. En été, beaucoup de gens travaillent en journée continue entre 8h et 15h. La situation est donc quelque peu confuse, mais voici quelques indications générales.
Magasins : lun.-ven. : 9h-13h30, 16h30-20h, sam. : 9h30-14h. Grands magasins : lun.-sam. : 9h-20.
Bureaux : lun.-ven. : 9h-14h, 16h30-19h. Administrations : lun.-ven. : 11h-13h (heures d'ouvertures au public).
Banques : lun.-ven. : 9h-14h, sam. : 9h-13h. Voir aussi **Restaurants**.
La vie nocturne commence tard - les discothèques sont surtout animées autour de 3h du matin - et se termine souvent après le lever du jour.

Heure locale. Même fuseau horaire que l'Europe occidentale, c'est-à-dire une heure d'avance sur l'heure GMT.

Jours fériés. A Madrid, les jours suivants sont fériés : 1er janvier, 6 janvier, 19 mars, 1er mai, 15 mai, 25 juillet, 15 août, 12 octobre, 1er novembre, 9 novembre, 8 décembre, 25 décembre, auxquels s'ajoutent les fêtes mobiles du Vendredi saint, du lundi de Pâques et de la Fête-Dieu.

Langues. Le castillan est la langue officielle.

Location de voitures. Toutes les grandes sociétés internationales sont représentées à Madrid, soit directement, soit par l'intermédiaire de filiales espagnoles. Les petites sociétés locales (vous trouverez leurs dépliants dans les hôtels et les offices de tourisme) pratiquent généralement des tarifs plus avantageux. Essayez de profiter des offres spéciales ou des réductions pour location de longue durée, mais n'oubliez pas de comparer les coûts tout compris, car les frais d'assurance et le prix au kilomètre peuvent considérablement alourdir la facture. Il est conseillé de souscrire une assurance tout risque. Il vous faudra naturellement présenter votre permis de conduire. Voir **Conduire.**

Manifestations culturelles. Procurez-vous les brochures dans les hôtels, les offices du tourisme et les centres culturels. Les spectacles sont généralement annoncés par affiches dans toute la ville. *Guia del Ocio* publie chaque semaine les programmes culturels ; le quotidien national *El Pais* donne aussi des critiques et des informations sur les manifestations à venir. Voir **Médias.**

Marchés. Que vous vouliez acheter ou simplement chiner, les marchés constitueront un divertissement local haut en couleur. Voir MARCHÉS.

Médecins. Il est déconseillé de voyager sans une assurance qui vous couvre en cas d'accident ou de maladie. Emportez avec vous une copie de votre contrat d'assurance, et notez séparément les détails importants et les numéros de téléphone d'urgence. A Màdrid, votre hôtel vous aidera à appeler un médecin ou un dentiste. Votre consulat peut éventuellement vous donner une liste des praticiens. Vous devrez régler la visite ou la consultation. Les cas d'urgence sont généralement acceptés aussi bien dans les hôpitaux que dans les cliniques privées. A moins d'avoir obtenu une carte vous donnant accès aux services de santé publique espagnols, vous devrez régler ces services comme dans une clinique privée. Sur présentation de votre police d'assurance, les médecins ou les cliniques accepteront peut-être d'être réglés directement par l'assurance. Les *farmacias,* qui vous délivreront vos médicaments, sont matérialisées par une croix verte ; un panonceau sur la porte vous indiquera l'adresse de la pharmacie de garde la plus proche. Les médicaments sur ordonnance sont relativement bon marché ; demandez et conservez vos reçus pour pouvoir les présenter à votre compagnie d'assurance.

Médias. *El País* est le quotidien national le plus réputé sur le plan international, et il couvre bien l'actualité madrilène. *Cambio 16* est le meilleur magazine hebdomadaire d'information. Les grands journaux et périodiques étrangers sont également très répandus, la plupart des publications européennes étant disponibles le jour même. Il existe des stations de télévision et de radio publiques et privées, dont certaines diffusent de la musique pop en permanence. On peut également capter sur ondes courtes les radios de certains pays. TVE possède deux chaînes de télévision. De juin à septembre, la chaîne 2 diffuse des informations en français, anglais et allemand entre 12h30 et 13h. Voir **Manifestations culturelles.**

Métro. Il est propre et il vous conduira presque partout, mais certaines correspondances sont peu pratiques. Munissez-vous d'un plan des lignes (disponible dans toutes les stations). Le ticket est bon marché (prix forfaitaire), mais vous pouvez acheter aussi des tickets plus économiques valables pour 10 trajets.

Moyens de paiement. L'unité monétaire espagnole est la *peseta* (PTA). Billets : 10 000, 5 000, 2 000, 1 000, 500. Pièces de monnaie : 500, 200, 100, 50, 25, 10, 5, 1 PTA. Ce sont les banques qui vous consentiront les taux de change les plus avantageux, mais n'oubliez pas de vous munir de votre passeport pour toute opération. Beaucoup d'établissements acceptent les principales cartes bancaires et cartes de crédit internationales, ainsi que les chèques de voyage en n'importe quelle devise d'Europe occidentale ou en dollars américains ; il en est de même des eurochèques sur présentation d'une carte de crédit en cours de validité.

Musique. Il y a à Madrid de la musique pour tous les goûts, et la ville attire les plus grands musiciens. Consultez la presse locale, les affiches et les offices de tourisme. Voir CAFÉS, SPECTACLES, VIE NOCTURNE.

Objets perdus. Si vous avez perdu quelque chose dans la rue, renseignez-vous auprès de l'office municipal le plus proche (*junta municipal*) ; dans un taxi, allez à Alberto Aquilera 20 ; dans un bus, à Alcantara 26 ; dans le métro, à la station de Cuatro Caminos. De toute façon, signalez la perte au réceptionniste ou à la personne responsable du lieu où vous séjournez. Si la perte est importante, faites une déclaration à la police (rue de los Madrazos) et gardez une copie de votre déclaration. Si vous avez perdu votre carte de crédit ou vos travellers chèques, signalez-le immédiatement aux organismes émetteurs ; s'il s'agit de votre passeport, adressez-vous à votre consulat.

Passeports, visas. Les titulaires d'un passeport en cours de validité originaires de la CEE, du Canada ou des États-Unis n'ont pas besoin de visa pour se rendre en Espagne. Les ressortissants de quelques autres pays devront obtenir un visa auprès d'un consulat espagnol. Renseignez-vous auprès de votre agence de voyages ou du consulat espagnol le plus proche.

Photographie. Les films et les travaux de développement et de tirage coûtent plus cher en Espagne que dans beaucoup d'autres pays. Les boutiques de développement rapide fournissent un service de qualité correcte. N'essayez pas de photographier les policiers, les installations militaires, les avions ou les aérodromes. Dans les musées, l'usage du flash est interdit.

Plats régionaux. La cuisine castillane est surtout connue pour ses viandes et ses gibiers rôtis. Voici quelques plats que vous pouvez essayer : *churros* (beignets pour le petit déjeuner), *chorizo* (saucisse épicée au paprika), *gazpacho andaluz* (gaspacho), *sopa de ajo* (soupe d'ail et de pain, avec du paprika, du jambon et des œufs), *tortilla*

española (omelette aux pommes de terre), *paella valenciana* (riz au safran, porc, fruits de mer et légumes, cuits sur commande uniquement pour déjeuner), *menestra* (légumes frais mélangés), *merluza à la vasca* (ragoût de merlu), *bacalao a la vizcaina* (morue salée aux tomates fraîches), *cocido madrileño* (ragoût de viande et de légumes généralement servi dans des portions gigantesques), *cochinillo lechal asado* (cochon de lait), *perdiz estofado* (perdrix à l'étouffée), *flan* (crème caramel), *queso manchego* (fromage de brebis).

Police. Les hommes et les femmes de la *Policía Nacional*, élégamment vêtus de leurs uniformes bleus et de leur béret, arpentent les rues par deux ou patrouillent dans des véhicules kaki ou blancs. Signalez-leur tout acte délictueux et, si besoin, faites une déclaration officielle au commissariat. La *Policía Municipal* (uniforme bleu, voitures bleues ou blanches) s'occupe principalement de la circulation routière et a pour mission de faire respecter la réglementation municipale. Vous rencontrerez la *Guardia Civil* (uniforme vert et tricornes) aux postes de douane et dans les services d'immigration, ou patrouillant sur les routes et dans les zones rurales.

Postes. La poste principale (*correos*) se trouve Plaza de Cibeles (lun.-ven. : 9h-13h30, 17h-19h, sam. : 9h-14h). Vous pouvez y faire adresser votre courrier : nom, Lista de Correos, Pl. de Cibeles, Madrid, Espagne. Vous pourrez le retirer aux heures suivantes (avec une pièce d'identité) : lun.-sam. : 9h-20h, dim. et jours fériés : 10h-12h. Vous pouvez aussi acheter des timbres (*sellos*) à l'hôtel ou dans les bureaux de tabac (*tabacos*). Les boîtes aux lettres sont jaune et rouge.

Pourboires. Même si cela n'est pas précisé, les notes d'hôtel et de restaurant comprennent le service. Il reste néanmoins habituel de laisser un pourboire de 5 à 10 % dans les restaurants et de gratifier le personnel hôtelier pour certains services. Dans les cafés, laissez un pourboire symbolique au bar, et 5 ou 10 % pour le service en salle. Les chauffeurs de taxis, coiffeurs et guides d'excursions reçoivent environ 10 %. Pour les préposés aux toilettes, portiers, cireurs, surveillants de parkings, laissez 25, 50 ou 100 PTA.

Réclamations. Les hôtels, auberges, restaurants et stations-service doivent disposer de formulaires de réclamations en trois exemplaires (*hoja de reclamacion*). Si votre réclamation porte sur un prix, vous devez d'abord régler la facture avant de demander le formulaire. Vous conserverez une copie, une autre sera envoyée aux services touristiques du gouvernement régional. Il s'agit d'une mesure intéressante de défense du consommateur, dont il ne faut pas abuser pour des cas anodins.

Restaurants. Madrid réunit toutes les cuisines régionales de l'Espagne et comprend de très nombreux restaurants - plus de quatre mille au total - depuis les simples *mesones* jusqu'à l'élégance brillante des restaurants les plus chics. Les plats peuvent être traditionnels ou répondre aux principes de la *cocina nueva*, mais beaucoup ont aujourd'hui une saveur internationale. La cuisine basque, à base de sauce, est généralement très réputée. Il existe aussi de nombreux restaurants étrangers, ainsi que des chaînes comme McDonalds ou Pizza Hut. Heures des repas : petit déjeuner jusqu'à 11h ; déjeuner de 14h à 16h30 ; dîner après 22h. Le classement des restaurants, de une à cinq fourchettes, correspond davantage à la qualité des équipements qu'à celle de la cuisine. Voir **RESTAURANTS.**

Santé. L'excès d'alcool et de sorties nocturnes a tôt fait d'exercer ses ravages. Modérez-vous ; n'abusez-pas non plus du soleil estival. Choisissez une marque d'eau en bouteille (*agua mineral*) et tenez-vous y. Évitez les glaces, les salades en trop grande quantité, la mayonnaise et les restaurants dont l'hygiène vous paraîtrait insuffisante. Si votre digestion a du mal à suivre, mangez de simples plats de légumes, des *tortillas*, du poulet ou du poisson grillé ; vous trouverez des aliments diététiques dans les *herboristerías* et tous les médicaments dont vous avez besoin dans les *farmacías*. Voir **Médecins.**

Sports. Voir **SPORTS** et ci-dessous. Les offices locaux du tourisme vous donneront des renseignements plus détaillés, notamment les adresses des fédérations sportives. Les grandes manifestations sportives sont annoncées par affiche et par voie de presse.

Sports d'hiver. Madrid a la chance de pouvoir offrir en hiver le confort et les distractions d'une grande capitale et d'avoir, à moins de deux heures de là, d'excellents équipements de sports d'hiver dans la Sierra de Guadarrama (à Puerto de Navacerrada, Valcotos et Valdesqui). Vous y trouverez des pistes pour tous les niveaux et des remontées mécaniques ; vous pouvez également suivre les cours de l'école de ski. Les équipements continuent de se développer. Peut-être même rencontrerez-vous le roi sur les pistes.

Tapas et Tascas. Les *tascas* sont des bars dans lesquels on se rend aussi bien pour prendre un verre - une *cana* par exemple (bière pression) - que pour prendre un en-cas. Beaucoup servent d'excellents *tapas* - amuse-gueule composés d'olives, de noix ou de chips, mais qui peuvent aussi être de véritables petits plats : portions de viande, fruits de mer, omelettes, salades ou légumes. Tout est présenté de façon appétissante sur le comptoir ; il vous est donc facile de montrer du doigt ce qui vous tente. Certains *tapas* sont servis chauds. Les *raciones* sont simplement des portions plus copieuses.

Taxis. Les taxis - noirs, ou blancs avec une rayure rouge - sont nombreux et bon marché par rapport à beaucoup d'autres pays ; vous pouvez les prendre aux stations de taxis ou les héler dans la rue. Ils sont libres lorsque l'indication « libre » apparaît sur le pare-brise et que la petite lumière verte est allumée sur le toit. Vous trouverez à l'intérieur du véhicule la liste des suppléments qui peuvent s'ajouter au prix figurant au compteur.

Téléphone, télex, télécopie. Les hôtels ont tendance à majorer considérablement le coût des communications. Téléphone : tarif réduit entre 22h et 8h. Les cabines à pièces prennent les pièces de 5, 25 ou 100 PTA, que l'on place dans la fente inclinée située en haut de l'appareil. Décrochez le combiné, attendez la tonalité, composez le numéro : les pièces descendront dans l'appareil au fur et à mesure. Les codes téléphoniques des provinces espagnoles et des autres pays sont indiqués dans les cabines. Pour les appels locaux, composez uniquement le numéro ; pour les communications internationales,

composez le 07 après la tonalité, attendez la seconde tonalité. Composez alors le code du pays, puis celui de la région suivi du numéro. Pour obtenir l'opérateur, faites le 008. Au bureau de Telefonica, Gran Vía 28, le règlement se fait au guichet après la communication et vous pouvez vous faire aider si besoin (lun.-sam. : 9h-13h, 17h-19h ; dim. : 10h-14h, 17h-21h). *Télex et télécopie* : poste principale (Pl. de Cibeles) ou dans certaines agences spécialisées. *Télégramme* : en téléphonant au 222 20 00, ou dans les bureaux de poste (24/24 Pl de Cibeles).

Toilettes publiques. Elles ne sont pas fréquentes. Le mieux est de trouver un bar ou un café, de prendre une boisson et d'utiliser les toilettes de l'établissement.

Trains. Madrid est au cœur du réseau ferroviaire espagnol. La gare de Chamartín dessert le nord et l'est du pays, ainsi que la France. Atocha est le point de départ des lignes pour le sud, l'ouest et le Portugal. Norte, ou Príncipe Pío, assure les liaisons avec le nord-ouest. Il existe plusieurs types de trains et de systèmes tarifaires ; pour plus de renseignements, il est donc conseillé de consulter une agence de voyages ou l'office central de la RENFE.

Urgences. Composez le 091 pour obtenir la *Policia Nacional* ; veillez à bien expliquer votre situation, la nature de l'urgence et les services dont vous pourriez avoir besoin. *Ambulancias* : Crus Roja 734 47 94 ; municipales 252 32 64. Bomberos (pompiers) 080. Hospital general Gregorio Marañon, Ibiza : tél. : 5868000. Ciudad Sanitoria La Paz, Paseo de la Castellana 26. Tél. : 7342600.

Vins. Le *vino* peut être *tinto* (rouge), *blanco* (blanc) ou *rosado* (rosé). L'Espagne compte dans ses *denominaciones de origen* (appellations contrôlées) quelques excellents vins, parmi lesquels le *Rioja* est sans doute le plus connu à l'étranger. Beaucoup de restaurants vous proposeront un vin du patron (*vino de la casa*), provenant généralement de La Manche ou du Valdepenas, régions proches de Madrid. Les restaurants régionaux auront les vins de leur région, comme le Ribeiro pour la Galice ou le Penedes pour la Catalogne. Les *vinos de terreno* sont des vins simples, bon marché. Avant de commander un vin, observez ce que boivent les gens du cru ou demandez conseil au serveur. Si vous êtes fin gastronome, n'hésitez pas à investir dans un bon vin.

CAFE GIJON